écho junior

A1 **méthode de français**

Cahier d'activités

J. Girardet
J. Pécheur

CLE
INTERNATIONAL

www.cle-inter.com

Crédits photographiques :

P 16 A : © Featureflash / Shutterstock.com – B : © Joe Seer / Shutterstock.com – C : © Featureflash / Shutterstock.com – D : © Miguel Medina / AFP – E : © S. Bukley / Shutterstock.com ; **P 20** 1 : © Sittler / REA – 2 : © Fons / Fotolia – 3 : © Istockphoto – 4 : © H. Chauvet / Urba Images Server – 5 : © Vekha / Fotolia – 6 : © Decout / REA ; **P 25** : © CLE International/DR ; **P 51** : © velib.paris.fr/DR ; **P 77** : © www.avignon.fr/DR ; **P 105** g. : © PHB.cz / Fotolia – m. : © RG. / Fotolia – d. : © Merlindo / Fotolia.

Direction de la production éditoriale : Béatrice Rego
Marketing : Thierry Lucas
Édition : Pierre Carpentier
Conception graphique : Miz'en Page / Domino
Mise en pages : Domino
Illustrations : Adriana Canizo
Recherche iconographique : Danièle Portaz
Fabrication : Lysiane Bouchet

© CLE International/Sejer, Paris, 2012
ISBN : 978-2-09-038719-3

Imprimé en Italie par 🦁 Grafica Veneta S.p.A. en juin 2012
N° de project: 10183676 - Dépôt légal: juin 2012

Sommaire

N. B. Les enregistrements audio des activités d'écoute figurent
sur le DVD–Rom du livre de l'élève.

Comment tu t'appelles ?

Vocabulaire

bonjour
juillet (n.m.)
madame (n.f.)
merci
monsieur (n.m.)
professeur (n.m.)
s'appeler (v.)
voici

Les mots des exercices

apprends (apprendre)
associe (associer)
complète (compléter)
conjugue (conjuguer)
écoute (écouter)
épèle (épeler)
imagine (imaginer)
lis (lire)
révise (réviser)
réponds (répondre)

---

1 Révise.

S'appeler
je m'appelle
tu t'appelles
vous vous appelez

2 Associe chaque dessin à une situation.

a. – Comment tu t'appelles ?
● *Je m'appelle Lola.*
➜ dessin ....

b. – Comment vous vous appelez ?
● *Je m'appelle Madame Legrand.*
➜ dessin ....

c. – Comment tu t'appelles ?
● *Je m'appelle Juan.*
➜ dessin ....

d. – Comment vous vous appelez ?
● *Je m'appelle Monsieur Legrand.*
➜ dessin ....

1

2

3

4

Réponds.

a. Comment vous vous appelez ?

....

b. Tu t'appelles comment ?

....

c. Vous vous appelez comment ?

....

d. Comment tu t'appelles ?

....

4 **Apprends l'alphabet.**

A B C D E F G H I J K L M N O P Q R S T U V W X Y Z

 Épèle les prénoms.

BURT **DOLORES** **FRANCESCA**

VINCENT **WILHELM**

Tu parles français ?

Vocabulaire

allemand (adj.)	parler (v.)
anglais (adj.)	participant (n.m.)
chinois (adj.)	polonais (adj.)
espagnol (adj.)	portugais (adj.)
école (n.f.)	russe (adj.)
français (adj.)	international (adj.)
italien (adj.)	bienvenue (n.f.)
langue (n.f.)	un peu
liste (n.f.)	

Leçon 0 — Parcours d'initiation

1 Révise.

Parler
je parle
tu parles
il parle
elle parle
vous parlez

2 Réponds.

a. Vous parlez français ?

Oui, ...

b. Tu parles anglais ?

Non, (espagnol) ....

c. Il parle espagnol ?

Oui, ...

d. Elle parle portugais ?

Non, (italien) ....

e. Vous parlez chinois ?

Non, (allemand) ....

Vous êtes français ?

Vocabulaire

américain (adj.)	glacé (adj.) ....
belge (adj.)	indonésien (adj.) ....
bien	marocain (adj.) ....
brésilien (adj.)	mexicain (adj.) ....
café (n.m.)	nationalité (n.f.) ....
Coca (n.m.)	parlement (n.m.) ....
député (n. m.)	serveuse (n.f.) ....
députée (n. f.)	suédois (adj.) ....
être (v.)	thé (n.m.) ....
européen (adj.)	voyage (n.m.) ....

1 Révise.

Être
je suis
tu es
il est
elle est

2 Complète avec « s'appeler », « être », « parler » à la forme qui convient.

a. Je .... João Marinho. Je .... député.

b. Vous .... italien ?

c. Non, je .... brésilien.

d. Vous .... français ?

e. Oui, je .... un peu français.

3 Complète avec l'adjectif de nationalité entre parenthèses.

a. Elle est française ?

Non, elle est (allemand) ....

b. Tu es espagnole ?

Non, je suis (portugais) ....

c. Vous êtes française ?

Non, je suis (canadien) ....

d. Elle est belge ?

Non, elle est (polonais) ....

e. Elle est (suédois) .... ?

Non, elle est (américain) ....

Tu habites où ?

Vocabulaire

adresse (n.f.)	Italie (n.f.) ....
Argentine (n.f.)	irlandais (adj.) ....
avenue (n.f.)	jeu vidéo (n.m.) ....
Brésil (n.m.)	musée (n.m.) ....
cinéma (n.m.)	où ....
Danemark (n.m.)	place (n.f.) ....
enfant (n.m. ou f.)	Provence (n.f.) ....
France (n.f.)	Portugal (n.m.) ....
friterie (n.f.)	restaurant (n.m.) ....
habiter (v.)	rue (n.f.) ....
hôtel (n.m.)	vêtement (n.m.) ....

1 Révise.

1 : un/une ; 2 : deux ; 3 : trois ; 4 : quatre ; 5 : cinq ; 6 : six ; 7 : sept ; 8 : huit ;
9 : neuf ; 10 : dix.

« à », « en », « au » ou « aux » ?
à + ville : à Marseille, à Montréal ; à Bruxelles ; à Dakar…
en + pays : la France → **en** France ; **la** Grèce → **en** Grèce
au + pays : le Brésil → **au** Brésil ; **le** Canada → **au** Canada
aux + pays : les États-Unis → **aux** États-Unis

Leçon 0 Parcours d'initiation

2 Conjugue.

Habiter :

j'..

tu ....

....

....

....

....

....

....

3 Complète avec «à», «en», «au», «aux».

a. Tu habites où ?

.... Portugal ? .... Espagne ? .... Philippines ?

b. Où est la Tour Eiffel ?

.... Paris, ... France.

c. Où est le Musée du Prado ?

.... Espagne, ... Madrid.

d. Où est l'Empire State Building ?

.... États-Unis, ... New York.

e. Où est Copacabana ?

.... Rio de Janeiro, ... Brésil.

Qui est-ce ?

Vocabulaire

artiste (n.m. ou f.) ....

canadien (adj.) ....

chanteur (n.m.) ....

chanteuse (n.f.) ....

comédien (n.m.) ....

comédienne (n.f.) ....

étudiant (n.m.) ....

femme (n.f.) ....

festival (n.m.) ....

groupe (n.m.) ....

guide (n.m. ou f.) ....

homme (n.m.) ....

musicien (n.m.) ....

président (n.m.) ....

programme (n.m.) ....

politique (adj.) ....

prince (n.m.) ....

qui ....

regarder (v.) ....

scientifique (n.m. ou f.) ....

serveur (n.m.) ....

1 Révise.

Pour identifier

C'est Paul, un professeur, un Belge,
un professeur belge.

C'est le professeur de français.

Il est belge ; il est professeur de français.

2 Réponds aux questions.

a. Marion Cotillard, qui est-ce ?

C'est .... comédienne ; c'est .... comédienne
du film *La Môme* (*La vie en rose*).

b. Qui est Pasteur ?

C'est .... scientifique.

c. Comment s'appelle .... professeur de français ?

Il s'appelle François.

3 Caractérise les personnalités ci-dessous. Utilise les mots proposés.

chanteuse – femme politique – artiste – homme politique – comédien – scientifique

Exemple : → *Mélanie Laurent est comédienne.*

a. Mika est ....

b. Matisse est ....

c. François Hollande est ....

d. Vincent Cassel est ....

e. Christine Lagarde est ....

f. Céline Dion est ....

g. Marie Curie est ....

Qu'est-ce que c'est ?

Vocabulaire

beau (adj.) ....
boutique (n.f.) ....
cathédrale (n.f.) ....
célèbre (adj.) ....
église (n.f.) ....
film (n.m.) ....
journal (n.m.) ....

maison (n.f.) ....
monument (n.m.) ....
petit (adj.) ....
quartier (n.m.) ....
télévision (n.f.) ....
théâtre (n.m.) ....

1 Révise.

Qu'est-ce que c'est ?
C'est **un** musée / **une** boutique ; ce sont **des** boutiques.
Mais
C'est **le** musée du Louvre / **la** cathédrale de Strasbourg.
Ce sont **les** rues du quartier Montmartre.

2 Complète avec « un », « une », « des ».

a. .... place

b. .... journal

c. .... monument

d. .... église

e. .... musées

f. .... boutiques

3 Complète avec « le », « la » , « l' », « les ».

a. .... ville de Strasbourg

b. .... cathédrale de Reims

c. .... maisons de la Petite France

d. .... avenue d'Alsace

e. .... boutiques des Champs-Elysées

f. .... place du musée

4 Complète avec « un », « une », « des » ou « le », « la », « l' », « les ».

À Strasbourg

Le guide : Ici, c'est .... Parlement européen ; et là, c'est .... Place Kléber.

Une touriste : Et là, qu'est–ce que c'est ? C'est .... musée ?

Le guide : Non, c'est .... restaurant célèbre.

Vos papiers, s'il vous plaît ?

Vocabulaire

avec	papier (n.m.) ....
contrôle (n.m.)	passeport (n.m.) ....
courriel (n.m.)	prénom (n.m.) ....
électronique (adj.)	nom (n.m.) ....
fiche (n.f.)	numéro (n.m.) ....
fille (n.f.)	renseignement (n.m.) ....
frontière (n.f.)	république (n.f.) ....
jeune (adj.)	téléphone (n.m.) ....

1 Remplis ta fiche de renseignements.

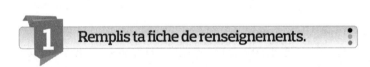

Nom : ....

Prénom : ....

Nationalité : ....

Profession : ....

Adresse : ....

N° de téléphone : ....

Adresse électronique : ....

Cartes postales et messages

Vocabulaire

aimer (v.)	lycée (n.m.) ....
alors	message (n.m.) ....
ami (n.m.)	montagne (n.f.) ....
amie (n.f.)	musique (n.f.) ....
an (n.m.)	photo (n.f.) ....
bise (n.f.)	plage (n.f.) ....
blog (n.m.)	randonnée (n.f.) ....
canyoning (n.m.)	salut ....
carte postale (n.f.)	sport (n.m.) ....
chercher (v.)	super (adj. inv.) ....
contact (n.m.)	sympa (adj.) ....
élève (n.m. ou f.)	tennis (n.m.) ....
garçon (n.m.)	très ....
indien (adj.)	

1 Complète la carte postale.

Bonjour Sonia,

Je suis .... Irlande, ...
Dublin.

Je suis .... lycée français de
Dublin.

J'aime .... rues. ....

ville est sympa et .... mer est
belle.

Bises

François

Sonia Marty

12, rue des Matelots

[4] [4] [1] [0] [0] NANTES

2 Complète.

Nouveau message

Envoyer Discussion Joindre Adresses Polices Couleurs Enr. brouillon   Navigateur de photos Afficher les modèles

À : sarahdemon@free.fr

Objet :

De : carloshernandez@gmail.es   Signature : Aucune

Bonjour,

Je m'appelle Carlos. Je suis espagnol.

Je suis élève .... lycée français.

Je parle quatre langues : .... castillan, le catalan, ... anglais et .... français.

J'habite .... Montpellier.

J'aime .... cinéma, ... musique électro et .... tennis.

Je cherche .... amis et .... amies.

Tu apprends à...

● te présenter (nom, nationalité, lieu d'habitation).

● dire « je comprends » ou « je ne comprends pas ».

● reconnaître les sons du français.

Travaille à partir des pages Forum

Vocabulaire

Algérie (n.f.)	Île Maurice (n.f.)
Antilles (n.f.pl.)	Maroc (n.m.)
Belgique (n.f.)	maternel (adj.)
Canada (n.m.)	médecine (n.f.)
chanter (v.)	non
comment	où
comprendre (v.)	oui
connaître (v.)	parc (n.m.)
danser (v.)	pays (n.m.)
être (v.)	pyramide (n.f.)
étudiante (n.f.)	Sénégal (n.m.)
fête (n.f.)	Suisse (n.f.)
forêt (n.f.)	tour (n.f.)
île (n.f.)	

Apprends à te présenter

 1   Complète la fiche.

COURS DE FRANÇAIS
FICHE D' INSCRIPTION

Nom : ....

Prénom : ....

Nationalité : ....

Adresse : ....

Leçon 1 Tu comprends ?

2 Associe les dialogues et les dessins.

1

a. Comment vous appelez-vous ?
– Je m'appelle Lola Perez.

b. Tu es étudiante ?
– Oui, je suis étudiante.

c. Où habites-tu ?
– J'habite en Espagne.

d. Vous êtes professeur ?
– Oui, je suis professeur.

4

2

3

Apprends le vocabulaire

3 Complète avec « comprendre » ou « connaître ? ».

a. Vous **comprenez** le français ?
– Non, ...

b. Tu .... le Brésil ?
– Non, ...

c. Vous .... le professeur ?
– Oui, ...

d. Vous .... l'espagnol ?
– Non, ...

e. Tu .... le musée ?
– Non, ...

Distingue le masculin et le féminin

4 Complète avec « le », « la » ou « l' ».

a. .... musée du Caire.

b. .... île de Tahiti.

c. .... pyramide du Louvre.

d. .... université de Montréal.

e. .... parc de Yellowstone.

f. .... tour de Pise.

g. .... festival de Cannes.

Travaille à partir des pages Outils

Vocabulaire

excusez-moi..
mot (n.m.)..
palais (n.m.)..

Pérou (n.m.)..
secrétaire (n.m./n.f.)..
s'excuser (v.)..

Apprends la conjugaison des verbes en « -er »

1 Complète les conjugaisons.

parler

je **parle**   nous ....
tu ....   vous ....
il/elle ....   ils/elles ....

habiter

j'**habite**   nous ....
tu ....   vous ....
il/elle ....   ils/elles ....

Apprends la conjugaison des autres verbes

2 Conjugue.

connaître

je ....
tu ....
il/elle ....
nous ....
vous ....
ils/elles ....

3 Complète avec les verbes entre parenthèses.

a. Tu (parler) .... français ?
b. Non, je ne (parler) .... pas français.
c. Nous (parler) .... espagnol.
d. Vous (habiter) .... en France ?
e. Oui, nous (habiter) .... à Montpellier.

Apprends à faire des phrases

4 « ne ... pas » : Maria est différente de Barbara.

a. Maria habite à Paris.   Barbara **n'habite pas à Paris**.
b. Maria comprend le français.   Barbara ....
c. Maria connaît le musée.   Barbara ....
d. Maria ....   Barbara parle espagnol.
e. Maria ....   Barbara est mexicaine.

Leçon 1 Tu comprends ?

Apprends les nationalités

5 Masculin ou féminin ?

a. France : Marion Cotillard est française.

b. Mexique : Andy Garcia est ....

c. Italie : Monica Bellucci est ....

d. Antilles : Teddy Riner est ....

e. Espagne : Antonio Banderas est ....

A   B   C   D   E

Entraîne–toi à l'oral à partir des pages Échanges

Vocabulaire

accueil (n.m.) ....
au revoir ....
bientôt ....
boulevard (n.m.) ....
cafétéria (n.m.) ....
chant (n.m.) ....
chanson (n.f.) ....
cité (n.f.) ....
comédie (n.f.) ....
danse (n.f.) ....

inscription (n.f.) ....
madame ....
monsieur ....
musical (adj.) ....
pardon ....
préparation (n.f.) ....
profession (n.f.) ....
stage (n.m.) ....
super ....

Apprends l'alphabet

1 Lis l'alphabet et écoute pour vérifier ta prononciation.

A – B – C – D – E – F – G – H – I – J – K – L – M – N – O – P – Q – R – S – T – U – V – W – X – Y – Z

2 Épèle les noms et vérifie avec l'enregistrement. ⋮

a. Je m'appelle JULIE. **c.** Je m'appelle MARIA.
b. Je m'appelle GÉRARD. **d.** Je m'appelle JEAN.

Vérifie ta compréhension

 3 Écoute. Associe avec les dessins. ⋮

a. → dessin .... **c.** → dessin .... **e.** → dessin .... **g.** → dessin ....
b. → dessin .... **d.** → dessin .... **f.** → dessin ....

1

2

3

4

5

6

7

8

 4 Qu'est-ce qu'ils disent ? Écoute et associe avec les dessins. ⋮

a. → dessin ....
b. → dessin ....
c. → dessin ....
d. → dessin ....
e. → dessin ....

Leçon 1 — Tu comprends ?

5 — Singulier ou pluriel ? Écoute et note dans le tableau.

	a.	b.	c.	d.	e.	f.	g.	h.
singulier								
pluriel								

Prononce

6 — Écoute et indique dans quelle syllabe se trouve le son [y] (« u »).

	a.	b.	c.	d.	e.	f.	g.
1re syllabe							
2e syllabe							
3e syllabe							

7 — Écoute la terminaison des verbes et classe les phrases dans le tableau.

a. Je parle français.
b. Nous habitons à Paris.
c. Vous habitez à Rome.
d. Tu habites à Paris.

e. Elle s'appelle Marie.
f. Vous parlez italien.
g. Nous parlons français.
h. Les étudiants habitent à la Cité.

[ə] (e muet)	[ɔ̃] (on)	[e] (é)

8 — Enchaîne : prononce puis écoute.

a. Je m'appelle Antonio.
b. J'habite aux États-Unis.
c. Je suis espagnol.
d. Je parle italien.
e. Il est étudiant.

9 Écoute et mets un point d'interrogation (« ? ») si c'est une interrogation.

a. Tu comprends ....

– Non, désolé ....

b. Noémie, vous connaissez .... Tu connais Noémie ....

– Oui, je connais Noémie ....

c. Je m'appelle Maria Monti ....

– Et vous, vous vous appelez comment ....

d. Vous êtes acteur ....

– Pardon ....

– Acteur ....

– Oui, bien sûr ....

Parle

10 Donne le féminin. Écoute et vérifie.

Exemple : *Il est français.* ➔ ***Elle est française.***

a. Il est anglais. ➔ ....

b. Il est italien. ➔ ....

c. Il est canadien ? ➔ ....

d. Il est espagnol ? ➔ ....

e. Il est chinois ? ➔ ....

Travaille à partir des pages Découvertes

Vocabulaire

bagel (n.m.) ....

banque (n.f.) ....

centre culturel (n.m.) ....

cybercafé (n.m.) ....

chocolat (n.m.) ....

crêperie (n.f.) ....

garage (n.m.) ....

gâteau (n.m.) ....

kebab (n.m.) ....

paëlla (n.f.) ....

parking (n.m.) ....

restaurant (n.m.) ....

spaghettis (n.m.pl.) ....

strudels (n.m.pl.) ....

sushi (n.m.) ....

université (n.f.) ....

1 Associe les photos et les lieux.

1

a. un cybercafé	➡ photo ....
b. un cinéma	➡ photo ....
c. une boulangerie	➡ photo ....
d. une banque	➡ photo ....
e. une crêperie	➡ photo ....
f. un garage	➡ photo ....

6

2

3

4

5

Test

2 Tu connais la France ? Complète.

a. La capitale de la France : ....

b. Le nom d'un joueur de football français : ....

c. Le nom d'un(e) joueur/joueuse de tennis français(e) : ....

d. Le nom d'un acteur français : ....

e. Le nom d'une actrice française : ....

f. Le titre d'un film en langue française : ....

g. Le titre d'un roman français : ....

h. Une marque de voiture française : ....

i. Une marque d'eau minérale française : ....

j. Un monument de France : ....

3 Voici des mots français. Ils sont passés dans d'autres langues. Coche ceux que tu connais.

○ bizarre	○ dessert	○ blouson	○ toilette
○ élite	○ soirée	○ buffet	○ eau de toilette
○ détail	○ nuance	○ rendez-vous	

Tu apprends à...

- présenter les personnes et les choses.
- demander quelque chose et donner des informations.
- comprendre des consignes.

Travaille à partir des pages Forum

Vocabulaire

acteur (n.m.)

Allemagne (n.f.)

avion (n.m.)

bière (n.f.)

bon (adj.)

capitale (n.f.)

chanteur (n.m.)

Chine (n.f.)

chose (n.f.)

compléter (v.)

cosmétiques (n.m.pl.)

drapeau (n.m.)

écrivain (n.m.)

Espagne (n.f.

Grèce (n.f.)

habitant (n.m.)

il y a

million (n.m.)

montre (n.f.)

part (n.f.)

quel

stylo (n.m.)

ville (n.f.)

voiture (n.f.)

Apprends le vocabulaire

 1 Associe.

a. un artiste ●
b. une région ●
c. une montre ●
d. une grande ville ●
e. une capitale ●
f. un sportif ●

● **1.** La Bretagne
● **2.** Picasso
● **3.** New York
● **4.** Messi
● **5.** Cartier
● **6.** Varsovie

Demande, pose des questions

 2 Complète avec la question : « Qu'est-ce que c'est ? » ou « Qui est-ce ? ».

Exemple : → *Qu'est-ce que c'est ?* – C'est le centre culturel.

a. .... – C'est la montre de Lucas.

b. .... – C'est le parfum de Noémie.

c. .... – C'est la professeure de chant.

d. .... – C'est la musique du film.

e. .... – C'est le stagiaire.

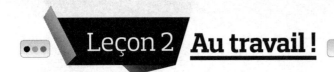

Leçon 2 — Au travail !

3 Se renseigner : complète la question avec « quel », « quelle », « quelles », « quels », « où », « est-ce qu'il y a ».

Exemple : → *Où est le musée du Louvre ?*

a. Dans .... salle il y a la Joconde ?

b. .... une cafétéria dans le musée ?

c. .... est le nom de la cathédrale ?

d. .... des cybercafés ?

e. C'est .... palais ?

Travaille à partir des pages Outils

Vocabulaire

amie (n.f.)	équipe (n.f.)
apprendre (v.)	étranger (n.m.)
aussi	football (n.m.)
avec	gens (n.f.pl.)
avoir (v.)	histoire (n.f.)
CD (n.m.)	lire (v.)
copain (n.m.)	livre (n.m.)
copine (n.f.)	moto (n.f.)
dictionnaire (n.m.)	national (adj.)
directeur (n.m.)	nouveau (adj.)
directrice (n.f.)	peintre (n.m.)
écouter (v.)	puis
écrire (v.)	salle (n.f.)
ensemble	tableau (n.m.)

Apprends les conjugaisons

1 Complète les conjugaisons.

écrire

j' ....   nous ....

tu **écris**   vous **écrivez**

il/elle ....   ils/elles ....

lire

je **lis** ....   nous **lisons**

tu ....   vous ....

il/elle ....   ils/elles ....

2 Mets le verbe « avoir » à la forme qui convient.

a. Tu .... des amis en France ?

b. J'.................... un ami vietnamien. Il s'appelle Lan.

c. Nous .... des amis espagnols : Juan et Elena.

d. Et Florent, il .... des amis étrangers ?

e. Florent et Lucas .... une amie antillaise. Elle s'appelle Mélissa.

 3 Complète avec « le », « la », « l' » et « les ».

Tu connais ?...

a. .... pyramide du Louvre ?

b. .... DJ David Guetta ?

c. .... romans de Marc Lévy ?

d. .... chanteuse Zaz ?

e. .... acteur espagnol Antonio Banderas ?

4 Complète avec « du », « de la », « de l' » et « des ».

a. Tu lis .... livres en français ?

b. Tu écoutes .... musique ?

c. Tu écris .... chansons ?

d. Tu connais le nom .... chanteur de Daft Punk ?

e. Tu regardes .... films français ?

f. Tu connais le nom .... actrice principale du film *La Môme* ?

 5 Parler de ses goûts : complète avec « un, une, des » ou « le, la, l', les ».

- Tu connais .... groupes français ?
  – Oui, je connais « Air ».

- C'est .... groupe français ?
  – Oui, ce sont .... musiciens des films de Sofia Coppola.

- Tu as .... CD du groupe Air ?
  – Oui, j'ai .... album « Talkie Walkie ».

 6 Accorde les noms et les adjectifs.

Goûts et préférences

a. Il aime les (bon / film) ....

b. Il aime les (bon / hôtel) ....

c. Il aime les (grand / parc) ....

d. Elle aime les (beau / photo) ....

e. Nous aimons les (grand / ville) ....

Entraîne-toi à l'oral à partir des pages Échanges

Vocabulaire

après....................	nouvelle (n.f.)....................
arrêter (v.)....................	pause (n.f.)....................
beaucoup....................	répéter (v.)....................
bien....................	rythme (n.m.)....................
juste....................	texte (n.m.)....................
mais....................	travailler (v.)....................
musicienne (n.f.)....................	vouloir (v.)....................

Leçon 2 / **Au travail !**

Prononce

 1 «Un », «une » : écoute et répète.

a. C'est un ami. / C'est une amie.

b. C'est un acteur. / C'est une actrice.

c. C'est un habitant. / C'est une habitante.

d. C'est un étranger. / C'est une étrangère.

e. C'est un étudiant. / C'est une étudiante.

f. C'est un homme. / C'est une femme.

Vérifie ta compréhension

2 Écoute et associe avec le dessin.

1

2

3

4

a. .... **b.** .... **c.** .... **d.** ....

Parle

 3 Une Française te pose des questions. Réponds par «oui» ou «non».
Écoute et vérifie ta réponse.

Exemple : *Vous habitez en France ?* ➜ Oui, j'habite en France.

➜ Non, je n'habite pas en France.

a. Vous travaillez en France ?...

b. Vous regardez la télévision ? ....

c. Vous regardez les films français ?..

d. Vous comprenez ? ....

e. Vous lisez *Phosphore* ? ....

f. Vous aimez les chansons de Mika ? ....

Travaille à partir des pages Découvertes

Vocabulaire

âge (n.m.)...	diplôme (n.m.)...................................
agriculteur (n.m.)	état civil (n.m.)................................
algérien (adj.)...................................	francophone (adj.)..........................
an (n.m.)...	grand (adj.).....................................
animateur (n.m.)...............................	immigré (n.m.).................................
asiatique (adj.).................................	jazz (n.m.)......................................
aujourd'hui	ou ....
autre	préférer (v.)....................................
cambodgien (adj.)............................	professionnel (adj.).........................
commune (n.f.).................................	tunisien (adj.).................................
compter (v.).....................................	vietnamien (adj.).............................
dans	village (n.m.)..................................

Vérifie ta compréhension

1 Quels sont ces documents ? Complète-les pour toi. ⋮

RÉPUBLIQUE FRANÇAISE

PASSEPORT
PASSPORT

P<FRACUAURA<<MIGUEL<NAALAN<<<<<<<<<<<<<<<<
06CC966664FAF8913233M1106449<<<<<<<<<<<<<08

Médiathèque
FICHE D'INSCRIPTION

Nom : ....

Prénom : ....

Âge : ....

Tél. : ....

Courriel : ....

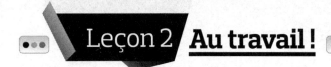

Leçon 2 — Au travail !

Test

2 Les Français aiment beaucoup les prénoms d'origine étrangère. Retrouve l'origine de chaque prénom.

a. Monica ....

b. Zinedine ....

c. Inès ....

d. Nathan ....

e. Lucas ....

f. Jonathan ....

g. Mathis ....

Tu apprends à...

- parler de tes activités et tes loisirs.
- parler de tes goûts.
- faire une proposition, accepter ou refuser.

Travaille à partir des pages Forum

Vocabulaire

accrobranche (n.m.)
action (n.f.)
aller (v.)
atelier (n.m.)
aventure (n.f.)
babyfoot (n.m.)
basket (n.m.)
billard (n.m.)
classique (adj.)
club (n.m.)
concert (n.m.)
danse (n.f.)
détendre (se) (v.)
devoir (v.)
électronique (adj.)
espace (n.m.)
exposition (n.f.)
faire (v.)
forum (n.m.)
gymnastique (n.f.)
heure (n.f.)
jeu (n.m.)
jouer (v.)
journée (n.f.)
judo (n.m.)
loisir (n.m.)

moderne (adj.)
musculation (n.f.)
octobre (n.m.)
ordinateur (n.m.)
partir (v.)
piano (n.m.)
piscine (n.f.)
proposer (v.)
radio (n.f.)
rap (n.m.)
rencontrer (v.)
réseau (n.m.)
rester (v.)
rock (n.m.)
septembre (n.m.)
skate (n.m.)
ski (n.m.)
soirée (n.f.)
spectacle (n.m.)
vélo (n.m.)
venir (v.)
vidéo (n.f.)
VTT (n.m.)
visite (n.f.)
volley (n.m.)
week-end (n.m.)

Apprends le vocabulaire

1 Lis les petites annonces. Classe les activités. ⋮

➲ Randonnées
➲ Aventures en forêt
➲ VTT
➲ Ski

PYRÉNÉES **ACTIV'**
Saint-Gaudens

SPORT ÉTUDES

- **Le matin** : cours de français
- **L'après-midi** : natation / tennis
- **Le soir** : concerts / danse

ÉCOLANGUES
13, rue des Étuves – 34000 Montpellier

TOP FORME
vous accueille…

Stretching
Yoga
Danses sud-américaines
Chaque mercredi : milonga
Hammam

12, avenue Berthelot
69003 Lyon

Activités sportives	Activités culturelles	Activités éducatives	Activités de détente

2 Relie. ⋮

a. faire du ski ●   ● 1. chanter
b. faire du chant ●   ● 2. jouer
c. aller sur Internet ●   ● 3. danser
d. faire de la photo ●   ● 4. skier
e. faire du cinéma ●   ● 5. surfer
f. faire de la danse ●   ● 6. photographier

3 Complète avec les verbes « faire » et « jouer ». ⋮

Exemple : ➜ *Il **joue au** football.*

a. Elle .... danse.
b. Il .... yoga.
c. Elle .... piano.
d. Il .... jeux vidéo.
e. Elle .... volley-ball.

4 Remplace le verbe « faire » par « jouer » ou « écrire ». ⋮

Exemple : *Il fait du basket.* ➜ *Il **joue au** basket.*

a. Il fait du football.   ➜ ....
b. Il fait de la guitare. ➜ ....
c. Il fait un livre.   ➜ ....
d. Il fait du tennis.   ➜ ....
e. Il fait une chanson.   ➜ ....

Travaille à partir des pages Outils

Vocabulaire

adorer (v.)	ici ....
aérobic (n.m.)	jour (n.m.) ....
chez	natation (n.f.) ....
classe (n.f.)	nuit (n.f.) ....
cours (n.m.)	poker (n.m.) ....
d'accord	roman (n.m.) ....
demain	sans ....
fatigué (adj.)	savoir (v.) ....
Finlande (n.f.)	toilettes (n.f.pl.) ....
Hollande (n.f.)	vacances (n.f. pl.) ....

Apprends les conjugaisons

 1 **Complète avec les verbes « faire » et « aller ».**

faire

Je fais de la photo.

Tu .... de la musique.

Il .... du ski.

Elle .... de la danse.

Nous .... du sport.

Vous .... du volley.

Ils .... du skate.

Elles .... du yoga.

aller

Je vais skier.

Tu .... danser.

Il .... surfer.

Elle .... nager.

Nous .... jouer.

Vous .... lire.

Ils .... travailler.

Elles .... chanter.

2 **Complète avec « à », « au », « à la », « à l' ».**

a. Je vais faire du ski .... montagne.

b. Ils vont .... concert ou .... cinéma .... Paris.

c. Elle fait une fête .... campagne.

d. Nous allons .... atelier photo, ... centre culturel.

e. Vous allez .... piscine.

3 Complète.

Exemple : ➜ *Moi, je vais* **aux** *États-Unis.*

a. Et toi ?

Moi, je vais faire de la randonnée .... Espagne.

b. Et lui ?

Il va faire de la gymnastique .... club.

c. Et elle ?

Elle va faire un stage de yoga .... Inde.

d. Et eux ?

Ils vont écouter un concert de rock .... Zénith.

e. Et vous ?

Nous allons .... Canada.

4 Complète avec une préposition et un article.

Mon emploi du temps.

a. Le soir, je vais .... concert ou .... atelier hip-hop.

b. L'après-midi, je vais .... cours de stretching ou .... piscine.

c. Le week-end, je vais faire du VTT .... campagne.

Parle de tes projets

5 Écris ce qu'ils vont faire demain.

Exemple : *Aujourd'hui, je travaille.*

• *rester à la maison* ➜ **Demain, je vais rester à la maison.**

a. Aujourd'hui, je regarde la télévision.

• faire une randonnée ➜ Demain, ...

....

b. Aujourd'hui, nous faisons du sport.

• rencontrer des amis ➜ Demain, ...

....

c. Aujourd'hui, tu joues aux jeux vidéo.

• faire de la musique ➜ Demain, ...

....

d. Aujourd'hui, ils font du volley.

• aller travailler ➜ Demain, ...

....

Entraîne-toi à l'oral à partir des pages **Échanges**

Vocabulaire

affiche (n.f.) ....

avoir envie (de) (v.) ....

dire (v.) ....

dommage ....

encore ....

entrer (v.) ....

envie (n.f.) ....

expression (n.f.) ....

faux (adj.) ....

jogging (n.m.) ....

préférer (v.) ....

rester (v.) ....

rôle (n.m.) ....

Prononce

1 Écoute. Coche le son que tu entends au début du mot.

	Son [v]	Son [f]
a.		
b.		
c.		
d.		
e.		
f.		
g.		
h.		

Vérifie ta compréhension

2 Écoute. Une jeune fille s'inscrit au club de loisirs de la ville. Complète la fiche d'inscription.

CLUB DE LOISIRS
FICHE D' INSCRIPTION

Nom : ....

Prénom : ....

Âge : ....

Adresse : ....

Ville : ....

Tél. : ....

Courriel : ....

Sports pratiqués : ....

Sorties : ....

Spectacles préférés : ....

Loisirs à la maison: ....

Parle

3 Réponds à des questions sur l'histoire « Un été à Paris ». Écoute et vérifie tes réponses.

a. Lucas fait du jogging avec les filles ? ....

b. Quel rôle apprend Lucas ? ....

c. Qui a le rôle de Quasimodo ? ....

Travaille à partir des pages Découvertes

Vocabulaire

Alpes (n.f.pl.)	Massif central (n.m.)
amitié (n.f.)	mer (n.f.)
chaque	oublier (v.)
château (n.m.)	paysage (n.m.)
côte (n.f.)	pour
date (n.f.)	région (n.f.)
découvrir (v.)	saison (n.f.)
excellent (adj.)	spectacle (n.m.)
goût (n.m.)	sur
intéressé (adj.)	sympathique (adj.)
invitation (n.f.)	tradition (n.f.)
objet (n.m.)	varié (adj.)
océan (n.m.)	visiter (v.)

Apprends le vocabulaire

1 Trouve le nom. Aide-toi du dictionnaire.

Exemple : *découvrir* ➜ *une découverte*

a. oublier ➜ ....

b. rencontrer ➜ ....

c. traduire ➜ ....

d. lire ➜ ....

e. écrire ➜ ....

f. écouter ➜ ....

g. répéter ➜ ....

Test

2 Lis le texte « Musée Grévin ».
Les phrases suivantes sont-elles vraies ou fausses ?

	Vrai	Faux
a. La Côte d'Azur est sur l'océan Atlantique.	○	○
b. Arles est un château de la Loire.	○	○
c. On écoute de l'opéra à Carhaix.	○	○
d. Avignon est un festival de théâtre.	○	○
e. Orange est dans les Alpes.	○	○
f. On fait du deltaplane dans les Alpes.	○	○
g. On surfe dans le Verdon.	○	○
h. Arras est une ville ancienne.	○	○

Tu apprends à...

- dire ce que tu as fait ou ce qu'une personne a fait.
- dire et demander l'heure.
- féliciter une personne.

Travaille à partir des pages Forum

Vocabulaire

actualité (n.f.)	monde (n.m.)
Autriche (n.f.)	ouvert (adj.)
chien (n.m.)	ouvrir (v.)
cire (n.f.)	personnage (n.m.)
comique (adj.)	philosophe (n.m.)
coupe (n.f.)	pièce de théâtre (n.f.)
entier (adj.)	prison (n.f.)
férié (adj.)	rencontre (n.f.)
gagner (v.)	rendez-vous (n.m.)
hier	scolaire (adj.)
jour (n.m.)	série (n.f.)
Lune (n.f.)	souvenir (n.m.)
médecin (n.m.)	

Apprends le vocabulaire

 Associe les mots de chaque colonne.

a. jour   **1.** Platon

b. espace   **2.** vingt-quatre heures

c. passé   **3.** souvenirs

d. château   **4.** Lune

e. personnages   **5.** François Hollande

f. actualité   **6.** cent ans

g. siècle   **7.** Versailles

h. président   **8.** hommes et femmes célèbres

Leçon 4 — Raconte-moi !

Vérifie ta compréhension

2 Lis le document sur le « musée Grévin », pages 44 et 45 du livre. Les phrases suivantes sont-elles vraies ou fausses ?

	Vrai	Faux
a. Dans le musée Grévin, il y a des tableaux.	○	○
b. Au musée Grévin, on peut voir des grands personnages de l'Histoire.	○	○
c. Il y a aussi des artistes d'aujourd'hui.	○	○
d. Les personnages sont en cire.	○	○
e. Le musée Grévin n'est pas ouvert tous les jours de la semaine.	○	○

Comprends les verbes au passé

3 Trouve ces personages dans l'histoire.

Exemple : *Elle est née aux Antilles, à Marie-Galante.* ➔ **Mélissa**.

a. Il a travaillé à Toulouse. ➔ ....

b. Elle a fait le voyage Montréal-Paris pour le stage « Musique et Danse ». ➔ ....

c. Ils ont appris le rôle de Quasimodo. ➔ ....

d. Il a très bien chanté le rôle de Quasimodo. ➔ ....

e. Il est arrivé juste une heure avant le spectacle. ➔ ....

Travail avec les pages Outils

Vocabulaire

à l'heure ....
amusant (adj.) ....
arrivée (n.f.) ....
bowling (n.m.) ....
conjugaison (n.f.) ....
départ (n.m.) ....
devoirs (n.m.pl.) ....
en avance ....
en retard ....
historique (adj.) ....
rentrer (v.) ....
• les jours de la semaine ....
lundi ....
mardi ....
mercredi ....
jeudi ....
vendredi ....
samedi ....
dimanche ....

• les mois de l'année ....
janvier ....
février ....
mars ....
avril ....
mai ....
juin ....
juillet ....
août ....
septembre ....
octobre ....
novembre ....
décembre ....
• la journée ....
matin (n.m.) ....
après-midi (n.m.) ....
soir (n.m.) ....
midi ....
minuit ....

---

1 Donne le participe passé de chaque verbe.

• Verbes en « –er »
Exemple : *aimer* → **aimé**

a. écouter → ....

b. parler → ....

c. préférer → ....

d. regarder → ....

e. rencontrer → ....

f. habiter → ....

g. travailler → ....

h. gagner → ....

i. oublier → ....

j. fêter → ....

k. rester → ....

l. aller → ....

• Verbes en « –oir »
Exemple : *avoir* → **eu**

a. savoir → ....

b. devoir → ....

c. vouloir → ....

d. voir → ....

• Verbes en « –endre »
Exemple : *comprendre* → **compris**

a. apprendre → ....

Exemple : *rendre* → **rendu**

b. vendre → ....

• Verbes en « –ir »
Exemple : *ouvrir* → **ouvert**

a. découvrir → ....

Exemple : *partir* → **parti**

b. dormir → ....

Exemple : *venir* → **venu**

c. lire → ....

Leçon 4 **Raconte-moi !**

2 Mets les verbes entre parenthèses au passé composé.

Le samedi de Kévin

a. Hier, samedi, j' (**faire**) .... beaucoup de choses.

b. Le matin, Pierre et moi, nous (**jouer**) .... au tennis.

c. J' (**gagner**) ....

d. À midi, j' (**déjeuner**) .... avec Pauline.

e. L'après midi, elle (**aller**) .... chez une copine pour travailler.

f. Moi, je (**aller**) .... au cinéma.

g. Le soir, des copains (**venir**) .... chez moi.

h. Nous (**regarder**) .... un film.

3 Utilise la forme négative du passé composé.

Dimanche, tu as travaillé toute la journée. Réponds à ces questions.

a. Tu as fait un jogging dimanche matin ?

➜ Non, ...

b. Tu es allé(e) au cinéma ?

➜ Non, ...

c. Tu as regardé un DVD ?

➜ Non, ...

Dis et demande l'heure

4 Note l'heure sur les montres comme dans l'exemple.

Exemple : *dix heures et quart* ➜

a. onze heures et demie
b. quinze heures dix
c. sept heures moins vingt
d. midi moins le quart
e. une heure et quart

a. b. c. d. e.

5 Écris les heures.

07 h 00 ➔ ....

09 h 25 ➔ ....

10 h 35 ➔ ....

11 h 30 ➔ ....

00 h 15 ➔ ....

Entraîne–toi à l'oral à partir des pages Échanges

Vocabulaire

amour (n.f.) ....

arriver (v.) ....

bizarre (adj.) ....

bravo (n.m.) ....

casting (n.m.) ....

chambre (n.f.) ....

continuer (v.) ....

dormir (v.) ....

expression (n.f.) ....

félicitation (n.f.)) ....

génial (adj.) ....

intéressé (adj.) ....

jardin (n.m.) ....

jusqu'à ....

manger (v.) ....

pas du tout ....

portable (n.m.) ....

répétition (n.f.) ....

sandwich (n.m.) ....

santé (n.f.) ....

SMS (n.m.) ....

voir (v.) ....

Prononce

1 Écoute les heures. Note et répète.

a. ....

b. ....

c. ....

d. ....

e. ....

2 Écoute les dates. Note et répète.

a. ....

b. ....

c. ....

d. ....

e. ....

3 Réponds « oui » au professeur. Écoute et vérifie tes réponses.

a. Vous avez fait l'exercice ? ➔ ....

b. Vous avez compris la grammaire ? ➔ ....

c. Vous avez appris le vocabulaire ? ➔ ....

4 Tu ne connais pas la nouvelle. Réponds « non ». Écoute et vérifie tes réponses.

a. Tu as écouté la radio ? → ....

b. Tu as lu le journal ? → ....

c. Tu as regardé la télé ? → ....

5 Réponds selon ton expérience. Écoute et vérifie tes réponses.

a. Vous avez fait un voyage aux dernières vacances ?

→ ....

b. Vous êtes allé(e) à l'étranger ?

→ ....

c. Vous êtes resté(e) dans votre pays ?

→ ....

d. Vous avez visité une région ?

→ ....

e. Vous avez vu de beaux paysages ?

→ ....

f. Vous avez visité des musées ?

→ ....

g. Vous avez découvert de bons restaurants ?

→ ....

h. Vous avez aimé le voyage ?

→ ....

Vérifie ta compréhension

6 Écoute les dialogues. Associe chaque dialogue avec un dessin et Transcris–le.

a.

dialogue n° : ....

....

....

....

....

....

....

b.

dialogue n° : ....

....

....

....

....

....

....

c.

dialogue n° : ....

....

....

....

....

....

....

....

d.

dialogue n° : ....

....

....

....

....

....

....

....

Travaille à partir des pages Découvertes

Vocabulaire

après-demain	ouverture (n.f.)
avant-hier	physique (n.f.)
cadeau (n.m.)	premier (adj.)
déjeuner (v.)	prochain (adj.)
employé (n.m.)	quand
emploi du temps (n.m.)	rentrée (n.f.)
horaire (n.m.)	supermarché (n.m.)
mathématiques (n.f.pl.)	

1 Écris la présentation d'une personne.

Céline Dubreuil écrit un courriel à un collègue et se présente. Rédige le courriel d'après le document ci-dessous.

Adresse :
25, rue François 1er
69000 Lyon
celine.dubreuil@free.fr

Nom : DUBREUIL
Prénom : Céline
Date de naissance : 6 février 1980
Nationalité : française

Études

■ 1998 : baccalauréat

■ 1998 → 2004 : École Spéciale d'Architecture de Paris

■ 2004 : diplôme d'architecte

Expérience professionnelle

■ 2004 → 2005 : stage chez BA Architecte, New York

■ sept 2005 : architecte associée au cabinet Portal, Lyon

Langues étrangères parlées

● anglais

● allemand

Nouveau message

Envoyer Discussion Joindre Adresses Polices Couleurs Enr. brouillon   Navigateur de photos Afficher les modèles

À : pcarpentier@paris-habitat.fr
Objet : présentation
De : cdubreuil@paris-habitat.fr   Signature : Aucune

Bonjour,

Je

Céline Dubreuil

Préparation au DELF A1

Compréhension orale

 1 Écoute les quatre témoignages et complète le tableau.

	prénom	ville et pays	goûts	langue
1.				
2.				
3.				
4.				

Production orale

 2 Entraîne-toi pour l'entretien. Relie les questions et les réponses.

1. Tu fais du sport ? ○　　　　○ **a.** J'aime beaucoup les films policiers.

2. Quel métier tu voudrais faire ? ○　　　　○ **b.** Oui, je fais de la natation.

3. Tu aimes le cinéma, le théâtre ? ○　　　　○ **c.** Dans un lycée, à Madrid.

4. Tu étudies où ? ○　　　　○ **d.** Journaliste à la radio.

5. Tu habites dans quelle ville ? ○　　　　○ **e.** Espagnol.

6. Quelle est ta nationalité ? ○　　　　○ **f.** À Madrid, dans le district de San Blas.

7. Tu as quel âge ? ○　　　　○ **g.** Oui, le castillan et le français.

8. Tu parles plusieurs langues ? ○　　　　○ **h.** Seize ans.

DELF

Compréhension écrite

3 Observe le document ci-dessous et réponds aux questions.

> AUX ÉLÈVES DE LA CLASSE DE SECONDE
>
> La médiathèque est fermée
> du vendredi 11 mai à 14 h
> au mardi 15 mai à 14 h.
>
> Les élèves doivent laisser les CD, DVD et livres au Secrétariat du Directeur des études, bâtiment A, avant lundi 18 h.
>
> La documentaliste

	Vrai	Faux
a. Le message est adressé aux élèves de seconde.	O	O
b. La médiathèque est fermée cinq jours.	O	O
c. Les élèves ne doivent pas rendre les CD, DVD et les livres.	O	O
d. Le secrétariat se trouve au bâtiment A.	O	O

Production écrite

4 Tu cherches une chambre d'étudiant : tu écris à la Cité Internationale de Paris. Mets les éléments de la lettre ci-dessous dans l'ordre.

a. Bologne, le 12 juillet 2012.

b. Je vous remercie.

c. Je m'appelle Alfonso Lopez. J'ai 18 ans. J'habite à Barcelone, en Espagne.

d. Monsieur le Directeur,

e. Est-il possible d'avoir une chambre à la Cité Internationale pour l'année universitaire 2012-2013 ?

f. Je vous prie d'agréer mes salutations distinguées.

g. Alfonso Lopez.

h. Je voudrais faire une licence de droit international à Paris à partir de septembre 2013.

1	2	3	4	5	6	7	8
....	....	....	....	....	....	....	....

Tu apprends à...

- parler des voyages.
- utiliser les moyens de transport.
- montrer quelque chose, faire des comparaisons.

Travaille à partir des pages Forum

Vocabulaire

accueil (n.m.)	moins
activité (n.f.)	nature (n.f.)
agence (n.f.)	organiser (v.)
animal (n.m.)	partir (v.)
bateau (n.m.)	pied (n.m.)
car (n.m.)	pirogue (n.f.)
circuit (n.m.)	planche à voile (n.f.)
découverte (n.f.)	plongée (n.f.)
découvrir (v.)	plus
dormir (v.)	près
euro (n.m.)	prix (n.m.)
faire (v.)	sauvage (adj.)
fatigant (adj.)	séjour (n.m.)
forêt (n.f.)	sous
intéressant (adj.)	sportif (adj.)
jet-ski (n.m.)	tente (n.f.)
kite-surf (n.m.)	train (n.m.)
lac (n.m.)	tranquille (adj.)
liberté (n.f.)	trop
loin	voile (n.f.)
meilleur (adj.)	voyager (v.)
mieux	

Vérifie ta compréhension du document pages 56–57

1 Associe chaque séjour à un moyen de transport (plusieurs réponses sont parfois possibles).

a. Découverte du Québec ●   ● **1.** à pied
b. Randonnées dans les Pyrénées ●   ● **2.** en car
c. Vacances sportives en Corse ●   ● **3.** en bateau
d. Séjour aventure en Guyane ●   ● **4.** en voiture

2 Vrai ou faux ?

	Vrai	Faux
a. Le lac Saint–Jean est le plus beau paysage du Québec.	○	○
b. Le séjour en Guyane propose de découvrir la forêt amazonienne.	○	○
c. En Corse, on peut dormir chez l'habitant.	○	○
d. Dans les Pyrénées, on parle avec les habitants.	○	○

Apprends le vocabulaire

3 Associe les dessins aux mots proposés.

1

2

3

4

5

a. Le type de voyage :
visite : ....
séjour : ....
sport de mer : ....
randonnée : ....
aventure : ....

b. Les lieux :
la mer : ....
la montagne : ....
les beaux paysages : ....
les villages : ....

c. Les activités :
On découvre : ....
On découvre la forêt : ....
On visite : ....
On fait de la voile : ....
On fait du sport : ....

4 Complète avec « plus » ou « moins ».

a. Je préfère le piano, c'est _____ classique.

b. J'adore le rap, c'est _____ moderne.

c. Il adore la voile, c'est _____ sportif.

d. Elle fait du yoga, c'est _____ fatigant.

e. Il apprend le chinois, c'est _____ intéressant.

f. J'apprends le français, c'est _____ difficile.

Travaille à partir des pages Outils

Vocabulaire

actrice (n.f.) _____
Corse (n.f.) _____
désolé (adj.) _____
devoir (v.) _____
Égypte (n.f.) _____
lac (n.m.) _____
lunettes (n.f.pl.) _____
mariage (n.m.) _____
maths (n.f.pl.) _____

Mexique (n.m.) _____
mont (n.m.) _____
pouvoir (v.) _____
prendre (v.) _____
Russie (n.f.) _____
Thaïlande (n.f.) _____
vert (adj.) _____
vouloir (v.) _____

Apprends les conjugaisons

 1 Observe et complète les conjugaisons de « prendre », « comprendre » et « apprendre ».

a. Je (**prendre**) _____ le train.

b. Tu (**comprendre**) _____ l'explication.

c. Elle (**apprendre**) _____ l'espagnol.

d. Nous (**prendre**) _____ un café.

e. Vous (**comprendre**) _____ l'anglais ?

f. Ils (**apprendre**) _____ le jet ski.

Apprends à comparer

 2 Complète avec « plus », « moins » et « aussi ».

Le prix du café est 1,20 €.

a. La bière est _____ chère.

b. L'eau est _____ chère.

c. Le chocolat est _____ cher.

Le jus de fruit est à 2,50 €.

d. Le coca est _____ cher.

e. Le chocolat est _____ cher.

Lycée **Benjamin Franklin** **Cafétéria**

Tarif des consommations

Eau minérale	0,80€
Café	1,20 €
Jus de fruit	2,50 €
Chocolat	1,20€
Coca	2,50 €

Leçon 5 Bon voyage !

3 Compare la population de ces villes. Complète avec « grand », « petit », « plus » et « moins ».

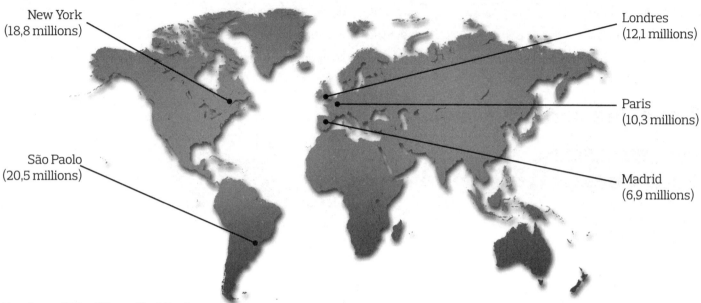

New York
(18,8 millions)

Londres
(12,1 millions)

Paris
(10,3 millions)

Madrid
(6,9 millions)

São Paolo
(20,5 millions)

Londres a 12,1 millions d'habitants.

a. New York est .... grand.

b. Paris est plus ....

c. São Paolo est plus ....

d. Madrid est .... grand.

4 Compare des distances. Complète avec « près », « loin » ou « plus », « moins », « aussi ».

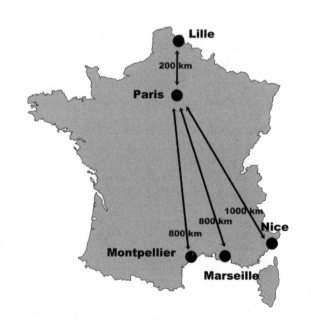

Marseille est à 800 km de Paris.

a. Nice est plus ....

b. Montpellier est .... loin.

c. Lille est plus ....

Apprends à montrer

5 Complète avec « ce », « cet », « cette », « ces ».

a. Photos souvenirs

Regarde cette photo. Tu connais .... ville ?

.... monument est très beau et ....

village est très tranquille. Il y a .... très grand

lac. Nous avons dormi dans .... hôtel.

b. Goûts

Tu écoutes .... musique ? Tu aimes ....

animateur ? Tu connais .... roman ?

Tu lis .... journaux ? Tu préfères ....

musiciens ?

6 Complète avec « ce », « cette », « un », « une », « le », « la »...

a. – Tu as vu .... spectacle ?

– Oui c'est .... spectacle magnifique.

b. – Tu connais .... nom de .... artiste américaine ?

– Oui, c'est .... actrice célèbre.

c. – Tu aimes .... acteur ?

– C'est .... acteur du film *The Artist*.

d. – Tu comprends .... expression ?

– C'est .... expression difficile.

Entraîne-toi à l'oral à partir des pages Échanges

Vocabulaire

attendre (v.)	gagné (adj.)
bac / baccalauréat (n.m.)	idée (n.f.)
cousin (n.m.)	mention (n.f.)
cousine (n.f.)	note (f.)
bienvenue (n.f.)	passer (v.)
dangereux (adj.)	penser (v.)
décision (n.f.)	portable (n.m.)
demander (v.)	proposition (n.f.)
être d'accord (v.)	résultat (n.m.)
fêter (v.)	rivière (n.f.)

Prononce

 1 Distingue [y] (« u ») et [u] (« ou »). Écris le mot que tu entends.

	Son [y] (« u »)	Son [u] (« ou »)
1.		
2.		
3.		
4.		
5.		
6.		
7.		
8.		

Leçon 5 **Bon voyage !**

2 Coche le son que tu entends.

	1.	2.	3.	4.	5.	6.	7.	8.
[b]								
[v]								
[f]								

Parle

3 Réponds aux questions. Utilise « ce », « cette », « cet » et « ces ».
Écoute et vérifie tes réponses.

On regarde les propositions sur eBay.

a. Qu'est que tu penses de la montre ?

– Ah ! Je voudrais bien .... montre !

b. Qu'est que tu penses du DVD ?

– Ah ! ....

c. Et la photo de Jean Dujardin ?

– Ah ! ....

d. Et les CD de Daft Punk ?

– Ah ! ....

e. Et l'ordinateur ?

– Ah ! ....

4 Tu as tout fait avant lui. Reformule chaque phrase avec le passé composé.
Écoute et vérifie tes réponses.

Grands voyageurs

a. En janvier, je vais au Japon. ➜ Je .... au Japon.

b. En février, je visite le Mexique. ➜ J'... le Mexique.

c. En mars, je fais une randonnée en Espagne. ➜ J'... une randonnée en Espagne.

d. En avril, je passe dix jours en Chine. ➜ J'... dix jours en Chine.

e. En mai, je travaille en Argentine. ➜ J'... en Argentine

f. En juin, je pars au Canada. ➜ Je .... au Canada.

g. Le reste de l'année, je découvre l'Afrique. ➜ J'... l'Afrique.

Vérifie ta compréhension

5 Écoute. Marie raconte sa journée de samedi. Complète l'agenda.

Samedi 26 mai

8 h	
9 h	
10 h	
11 h	
12 h	
13 h	
14 h	
15 h	
16 h	
17 h	
18 h	
19 h	
Soir	

Travaille à partir des pages Découvertes

Vocabulaire

acheter (v.)	confirmer (v.)	rapide (adj.)
à côté	consulat (n.m.)	régional (adj.)
accueillir (v.)	Croatie (n.f.)	réservation (n.f.)
apprécier (v.)	destination (n.f.)	réserver (v.)
aéroport (n.m.)	enquête (n.f.)	retour (n.m.)
agréable (adj.)	est (n.m.)	route (n. f.)
ambassade (n.f.)	gare (n.f.)	société (n.f.)
annuler (v.)	gare routière (n.f.)	station (n.f.)
arrêt (n.m.)	île (n.f.)	taxi (n.m.)
Australie (n.f.)	important (adj.)	ticket (n.m.)
autobus (n.m.)	intéresser (v.)	tramway (n.m.)
autocar (n.m.)	joli (adj.)	utile (adj.)
autoroute (n.f.)	lieu (n.m.)	utiliser (v.)
bas (adj.)	métro (n.m.)	vitesse (n.f.)
billet (n.m.)	minute (n.f.)	visa (n.m.)
car (n.m.)	parisien (adj.)	vol (n.m.)
certain (adj.)	partir (v.)	voyageur (n.m.)
chemin de fer (n.f.)	passer (v.)	
compagnie (n.f.)	préféré (adj.)	

1 Complète avec un verbe de la liste.

annuler – composter – passer – prendre – acheter

a. Pour aller de Paris à Lyon, vous .... le train ou l'avion ?

b. Dans la gare, avant de monter dans le train, il faut .... son billet.

c. Elle a réservé une place sur le vol Paris–Amsterdam, mais elle ne peut pas partir. Elle doit .... sa réservation.

d. Elle .... un autre billet sur internet.

e. En juillet, nous .... trois semaines de vacances à la mer.

2 Lis ce document et réponds.

Railteam, une alliance pleine de promesses
Des trains, beaucoup de trains pour rendre visite à mes voisins

TGV Lyria

TGV Lyria, direction la Suisse
Avec les TGV Lyria, j'y vais plus vite.
Paris-Genève : 3h05
Paris-Lausanne : 3h47
Paris-Bâle : 3h03

THALYS

Thalys, départ pour la Belgique, les Pays-Bas, l'Allemagne…
Paris-Bruxelles : 1h22, 25 allers-retours quotidiens
Paris-Anvers : 6 allers-retours quotidiens
Paris-Amsterdam : 03h18, 5 allers-retours quotidiens
Paris-Cologne : 3h14, 6 allers-retours quotidiens

TGV EST EUROPÉEN

TGV EST Européen
Paris-Nancy : 1h30
Paris-Strasbourg : 2h20
Paris-Luxembourg : 2h06
L'Allemagne à 1h50 de Paris à 320 km/h
Paris-Stuttgart : 3h40

EUROSTAR

Eurostar
Un train toutes les heures. 2h15 directement au centre de Londres.

---

a. Pour aller en Grande Bretagne, je prends ....

b. Pour aller à Bruxelles, il y a ....

c. Pour aller à Londres, je peux partir ....

d. Pour aller à Bâle, je prends ....

e. Pour aller à Strasbourg, je mets ....

3 Lis la publicité et complète les informations.

Des milliers de Vélos à Paris c'est la... lib'erté

velib.paris.fr

velib'
La ville est plus belle à vélo

Velib'
→ Pour sortir, faire des courses, travailler

Velib'
→ Pour des trajets courts dans Paris

Velib'
→ Une station tous les 300 mètres ;
24h/24 et 7jours/7

Velib'
→ Carte **1 an : 19 €**
→ Ticket **7 jours : 8 €**
→ Ticket **1 jour : 1,70 €**

Info 01 30 79 79 30
www.velib.paris.fr

a. Nom de l'opération : ....

b. Lieu : ....

c. Type de transport : ....

d. Pour quoi faire : ....

e. Prix à l'année : ....

f. Comment s'informer : ....

g. Où s'informer : ....

Tu apprends à...

- parler de la nourriture et des habitudes alimentaires.
- commander un repas au restaurant.
- utiliser les articles.
- exprimer la possession.

Travaille à partir des pages Forum

Vocabulaire

accompagnement (n.m.)	frite (n.f.)	pomme (n.f.)
	froid (adj.)	pomme de terre (n.f.)
agneau (n.m.)	fromage (n.m.)	
bacon (n.m.)	fruit (n.m.)	porc (n.m.)
baguette (n.f.)	glace (n.f.)	poulet (n.m.)
banane (n.f.)	haricot (n.m.)	purée (n.f.)
bière (n.f.)	jambon (n.m.)	riz (n.m.)
biscuit (n.m.)	jus (n.m.)	salade (n.f.)
blanc (adj.)	mayonnaise (n.f.)	salé (adj.)
bœuf (n.m.)	moutarde (n.f.)	sauce (n.f.)
boire (v.)	œuf (n.m.)	saucisson (n.m.)
boisson (n.f.)	olive (n.f.)	saumon (n.m.)
carotte (n.f.)	oignon (n.m.)	soda (n.m.)
café (n.m.)	orange (n.f.)	sucré (adj.)
champignon (n.m.)	pain (n.m.)	tarte (n.f.)
chaud (adj.)	pain de mie (n.m.)	thé (n.m.)
chips (n.f.)		thon (n.m.)
concombre (n.m.)	pain de campagne (n.m.)	tomate (n.f.)
cornichon (n.m.)		vanille (n.f.)
côtelette (n.f.)	pâte (n.f.)	végétarien (adj.)
dessert (n.m.)	pâté (n.m.)	vinaigrette (n.f.)
eau minérale (n.f.)	pâtisserie (n.f.)	viande (n.f.)
fraise (n.f.)	poisson (n.m.)	yaourt (n.m.)

Vérifie ta compréhension

1 Classe les mots du document des pages 64 et 65.

a. Les légumes	
b. Les charcuteries	
c. Les viandes	
d. Les poissons	
e. Les produits laitiers	
f. Les fruits	
g. Les pâtisseries	
h. Les boissons	

Apprends le vocabulaire

2 Donne des exemples :

a. d'aliments végétariens : ....

b. d'aliments sucrés : ....

c. de boissons sucrées : ....

d. de produits laitiers salés : ....

3 Qu'est-ce que tu bois ?
Continue comme dans l'exemple.

Exemple : *thé* ➜ *du thé*

a. eau   ➜ ....

b. café   ➜ ....

c. limonade   ➜ ....

d. jus d'orange ➜ ....

4 Qu'est-ce que tu prends ?
Continue comme dans l'exemple.

Exemple : *lait* ➜ *du lait*

a. thé   ➜ ....

b. gâteau au chocolat ➜ ....

c. tarte aux pommes ➜ ....

d. salade   ➜ ....

Travaille à partir des pages Outils

Vocabulaire

alcool (n.m.)	lunettes (n.f.pl.)	sortie (n.f.) ....
apéritif (n.m.)	montre (n.m.)	stylo (n.m.) ....
curieux (adj.)	portable (n.m.)	sucre (n.m.) ....
inviter (v.)	prof (n.m. ou n.f.)	tranche (n.f.) ....
lait (n.m.)	rôti (n. m./adj.)	verre (n.m.) ....
morceau (n.m.)	sac (n.m.)	vouloir (v.) ....

Utilise les articles

1 Complète avec le bon article.

a. Qu'est-ce que tu prends ? Du jambon, ... salade, ... champignons, ... yaourt ?

b. – Tu bois quoi ? .... verre de soda ?

   – Non, je préfère .... eau minérale ou .... jus d'orange.

c. .... café est bon ici. Est-ce que vous voulez .... café ?

d. J'aime bien .... glace au chocolat : est-ce qu'il y a .... glace au chocolat ?

e. – Vous prenez .... saumon ?

   – Non, je préfère .... jambon.

f. – Vous aimez .... poulet?

   – Oui, avec .... riz.

g. J'aime bien .... gâteaux mais je préfère .... fromage.

h. À midi, je mange .... crudités, ... fruits et je bois .... eau minérale.

i. Qu'est-ce que vous prenez comme boisson ? ...., ... bière ou .... eau ?

j. Je voudrais .... pain, s'il vous plaît !

2 Compose ton petit déjeuner préféré.

a. Je prends ....

....

b. Je bois ....

....

c. Je mange ....

....

> Thé, café au lait, capuccino, chocolat
> ***
> Jus de fruit
> ***
> Confiture, compote, marmelade,
> ***
> Céréales, toasts, tartines, croissants
> ***
> Pain, beurre, yaourt, fromage
> ***
> Œufs au bacon, charcuterie

Exprime la possession

3 Complète avec des possessifs.

a. J'habite ici. C'est .... maison. Là, c'est .... vélo.

b. Il a oublié .... montre, ... livres et son .... portable.

c. Nous travaillons ici. Voici .... directeur et .... collègues.

d. Bonjour, Monsieur. Je suis très heureux de faire .... connaissance.

e. Visitez Québec : .... château, ... musées, ... université, ... bonnes adresses.

f. Tu t'appelles Martine : je connais aussi .... nom, ... adresse et .... parents.

4 — Réponds comme dans l'exemple. Utilise les possessifs.

Exemple : *C'est ta rue ?* ➜ *Oui, c'est ma rue.*

a. C'est ta maison ?   ➜ Oui, ...

b. Ce sont tes amis ?   ➜ Oui, ...

c. C'est la maison de Florent ?   ➜ Oui, ...

d. C'est l'amie de Florent ?   ➜ Non, ...

e. Ce sont tes parents ?   ➜ Oui, ...

f. C'est votre voiture ?   ➜ Oui, ...

5 — Confirme comme dans l'exemple. Utilise la forme « à moi », « à toi », etc.

Exemple : *C'est ton portable ?* ➜ *Oui, il est à moi.*

a. C'est ta voiture ?   ➜ Oui, ...

a. C'est la montre de Philippe ?   ➜ Oui, ...

b. Sarah, Julie, ce sont vos sacs ?   ➜ Oui, ...

c. Ces BD sont aux enfants ?   ➜ Oui, ...

d. Cette radio n'est pas à toi ?   ➜ Si, ...

Entraîne–toi à l'oral à partir des pages   Échanges

Vocabulaire

affaire (n.f.)	menu (n.m.) ....
aider (v.)	mourir (v.) ....
avoir faim (v.)	original (adj.) ....
bar (n.m.)	panique (n.f.) ....
chaussure (n.f.)	pareil (adj.) ....
cheeseburger (n.m.)	pendant ....
client(e) (n.m. ou f.)	pizza (n.f.) ....
commander (v.)	place (n.f.) ....
content (adj.)	plat (n.m.) ....
croire (v.)	quiche (n.f.) ....
dame (n.f.)	ranger (v.) ....
différent (adj.)	saucisse (n.f.) ....
eau gazeuse (n.f.)	serviette (n.f.) ....
grillé (adj.)	tente (n.f.) ....
hamburger (n.m.)	valise (n.f.) ....
même (adj.)	

Leçon 6 **Bon appétit !**

Prononce

1 Prononciation des possessifs, les sons [ɔ] (« o ») et [ɔ̃] (« on »). Lis à haute voix. Écoute pour vérifier ta prononciation.

Mon portable	Son copain Yvon	Mon prof de photo
Ton amie Marion	Ton ami Igor	Notre guide de montagne

2 Rythme de la phrase négative. Lis, écoute et répète.

Elle ne prend pas de pain.	Elle ne mange pas de jambon.	Elle ne boit pas de lait.
Il ne boit pas d'alcool.	Il ne prend pas de melon.	Il n'organise pas de fête.

Vérifie ta compréhension

3 Écoute et note le menu de chacun.

Elle	*Lui*

Parle

4 Qu'est-ce que tu bois ? Continue comme dans l'exemple. Écoute et vérifie.

Exemple : *Thé* ➔ *du thé*

a. eau ➔ ....

b. lait ➔ ....

c. vin ➔ ....

d. bière ➔ ....

e. apéritif ➔ ....

f. eau minérale ➔ ....

g. cocktail ➔ ....

5 Qu'est-ce que tu veux ? Continue comme dans l'exemple. Écoute et vérifie.

Exemple : *verre de coca* ➔ *un verre de coca*

a. bière ➔ ....

b. tasse de thé ➔ ....

c. assiette de crudité ➔ ....

d. steak-frites ➔ ....

e. gâteau au chocolat ➔ ....

f. morceau de tarte ➔ ....

g. jus d'orange ➔ ....

h. glace ➔ ....

i. confiture ➔ ....

6 Apprends à refuser. Réponds comme dans l'exemple. Écoute et vérifie.

Exemple : *Tu veux du pâté ?* ➔ ***Non, merci, je ne veux pas de pâté.***

a. Tu bois du vin ? ➔ .... ,

b. Tu ne manges pas de pain ? ➔ .... ,

c. Tu veux du gâteau ? ➔ .... ,

d. Tu ne veux pas de tarte ? ➔ .... ,

e. Tu veux du café ? ➔ .... ,

Travaille à partir des pages Découvertes

Vocabulaire

bar (n.m.)	léger (adj.)	ravioli (n.m.)
beurre (n.m.)	légume (n.m.)	régulièrement
camembert (n.m.)	mourir (v.)	repas (n.m.)
cantine (n.f.)	noir (adj.)	restaurant universitaire (n.m.)
céréale (n.f.)	nord (n.m.)	
charcuterie (n.f.)	passé (n.m.)	soupe (n.f.)
confiture (n.f.)	pâtes (n.f.pl.)	souvent
croissant (n.m.)	petit-déjeuner (n.m.)	table (n.f.)
crudités (n.f.pl.)	principal (adj.)	tard
dîner (n.m./v.)	provençal (adj.)	tartine (n.f.)
entrée (n.f.)	quelques-uns	toast (n.m.)
entreprise (n.f.)	questionnaire (n.m.)	type (n.m.)
famille (n.f.)		vin (n.m.)
habitude (n.f.)	raconter (v.)	vrai (adj.)
haricots verts (n.m.pl.)	râpé (adj.)	

Apprends le vocabulaire

 1 Associe les phrases de même sens.

a. J'ai fini. ●   ● **1.** Il est pareil.

b. Une seconde, s'il vous plaît. ●   ● **2.** Vous avez fait une erreur.

c. Il n'est pas original. ●   ● **3.** C'est fait.

d. C'est faux. ●   ● **4.** Ce ne sont pas les mêmes.

e. Ils sont très différents. ●   ● **5.** Attendez un peu.

Leçon 6 Bon appétit !

Vérifie ta compréhension

2 Lis la recette et remets les différentes instructions dans l'ordre.

> 3 blancs de poulet
> 2 avocats
> 150 g de salades variées
> Moutarde
> Vin blanc
> 75 g de crème fraîche
> Une tomate
> 10 g de beurre
> Sel
> Poivre

a. Ajoutez la crème fraîche puis la moutarde.

b. Préparez la sauce : mettez le vin blanc.

c. Ajoutez la tomate, l'avocat en morceaux, les blancs de poulet et les salades variées.

d. Ajoutez le sel et le poivre.

e. Lavez la salade.

f. Faites cuire les blancs de poulet 5 minutes.

g. Servez.

1.	2.	3.	4.	5.	6.	7.
....	....	....	....	....	....	....

Test

3 Dans quel pays prend-on ces petits déjeuners ?

Allemagne – Angleterre – Italie – Pays-Bas – Espagne

a. Thé, jus de fruit, céréales, toasts, marmelade, beurre, œufs au bacon.

➜ ....

b. Café, jambon, pain, beurre, gouda, sirop de pomme, céréales.

➜ ....

c. Espresso, capuccino, croissant.

➜ ....

d. Café, compote, fromage, viande froide, pains, beurre.

➜ ....

e. Café au lait, pain grillé, beurre.

➜ ....

Tu apprends à...

- parler de ton emploi du temps et de tes activités quotidiennes.
- choisir, acheter, payer quelque chose.
- donner des ordres ou des conseils.

Travaille à partir des pages Forum

Vocabulaire

agréable (adj.)..

bain (n.m.)..

commencer (v.) ....

consulter (v.) ....

courses (n.m.pl.) ....

court (adj.) ....

déjeuner (n.m./v.)..

devant ....

douche (n.f.)...

été (n.m.) ....

faire les courses (v.) ....

frère (n.m.) ....

gentil (adj.) ....

glace (n.f.) ....

lit (n.m.)..

magasin (n.m.)...

moment (n.m.)...

plaisir (n.m.) ....

plein (adj.)..

poser une question (v.) ....

prendre une douche (v.).............................

projet (n.m.)...

question (n.f.)..

récent (adj.) ....

réponse (n.f.)...

se coucher (v.)...

se laver (v.) ....

se lever (v.) ....

s'habiller (v.)..

s'occuper de (v.) ....

se préparer (v.)..

se promener (v.) ....

se reposer (v.) ....

se réveiller (v.) ....

sœur (n.f.)...

sortir (v.)..

terrasse (n.f.)..

tête (n.f.) ....

tout de suite ....

tranche (n.f.)..

Apprends le vocabulaire

1 Regarde la bande dessinée. Écris ce qu'il fait.

a.

b.

c.

d.

e.

f.

g.

h.

i.

j.

k.

l.

a. Il se réveille.

b. ....

c. ....

d. ....

e. ....

f. ....

g. ....

h. ....

i. ....

j. ....

k. ....

l. ....

2 Classe ces activités.

a. partir au travail

b. dîner

c. faire du sport

d. rencontrer le professeur de français

e. se coucher

f. organiser un voyage

g. aller au cinéma

h. faire des courses

i. confirmer un rendez-vous

j. s'habiller

k. travailler à la médiathèque

l. se doucher

m. préparer le dîner

n. se promener

Loisirs	Activités personnelles	Activités professionnelles

3 Trouve le nom qui correspond à chaque verbe.

Exemple : *se réveiller* → ***le réveil***

b. travailler → ....

c. rentrer → ....

d. se doucher → ....

e. se baigner → ....

f. déjeuner → ....

g. partir → ....

h. se promener → ....

i. s'occuper → ....

j. se reposer → ....

Travaille à partir des pages Outils

Vocabulaire

comme ....

dossier (n.m.) ....

examen (n.m.) ....

mari (n.m.) ....

normalement ....

s'arrêter (v.) ....

s'asseoir (v.) ....

se dépêcher (v.) ....

se détendre (v.) ....

se fatiguer (v.) ....

s'endormir (v.) ....

seul (adj.) ....

tôt ....

vite ....

1 Complète la conjugaison des verbes du type « se lever ».

Se lever

a. *je me lève*

b. tu ....

c. il/elle ....

d. *nous nous levons*

e. vous ....

f. ils/elles ....

S'habiller

a. je ....

b. *tu t'habilles*

c. il/elle ....

d. nous ....

e. vous ....

f. ils/elle ....

2 Mets les verbes entre parenthèses au présent.

Laure et François travaillent la nuit.

Le matin, je (**se réveiller**) .... tard. François aussi (**se lever**) .... tard.

Tous les deux, nous (**s'occuper**) .... d'une discothèque et nous (**se coucher**) ....

.... à cinq heures du matin.

Mes frères (**se lever**) .... à 7 h. Ils (**s'habiller**) .... et (**se préparer**)

.... seuls le matin. Nous (**se voir**) .... quand ils rentrent de l'école.

Et toi, à quelle heure tu (**se lever**) .... ?

3 Mets les verbes au passé composé.

Laure raconte sa journée d'hier.

*Le matin, je **me suis réveillée** tard. François aussi* ....

....

....

....

4 On interroge Laure. Trouve les questions.

***Exemple :* → À quelle heure tu te lèves ?** – *Je me lève à midi.*

a. .... ? – Il se lève à la même heure.

b. .... ? – Mes frères se préparent seuls le matin.

c. .... ?– On se voit l'après-midi.

d. .... ? – Ils se couchent quand nous partons travailler.

5 Marco n'aime pas aller à l'école. Sa sœur l'encourage. Réponds pour lui.

Exemple : *Marco, tu te réveilles ?* ➔ ***Oui, je me réveille.***

a. Marco, tu te lèves ?   ➔ ....

b. Marco, tu t'habilles ?   ➔ ....

c. Marco, tu viens ?   ➔ ....

d. Marco, tu te prépares ?   ➔ ....

e. Marco, tu te dépêches ?   ➔ ....

6 On pose des questions à Marco. Réponds pour lui.

Exemple : *Tu te réveilles tôt ?* ➔ ***Non, je ne me réveille pas tôt.***

a. Tu te lèves tôt ?   ➔ Non, ...

b. Tu te dépêches pour aller au travail ?   ➔ Non, ...

c. Tu t'occupes de tes frères ?   ➔ Non, ...

d. Tu te couches tôt le soir ?   ➔ Non, ...

Donne des instructions et des conseils

7 Reformule les instructions comme dans l'exemple.

Exemple : *Tu dois te réveiller tôt.* ➔ ***Réveille-toi tôt.***

a. Tu dois te coucher tôt.   ➔ ....

b. Tu ne dois pas te coucher tard.   ➔ ....

c. Vous ne devez pas manger beaucoup. ➔ ....

d. Vous devez vous reposer.   ➔ ....

e. Nous devons nous promener.   ➔ ....

8 Reformule les conseils comme dans l'exemple.

Conseils à un sportif

Exemple : *Tu ne dois pas te coucher tard.* ➔ ***Ne te couche pas tard !***

a. Tu dois boire beaucoup d'eau.   ➔ ....

b. Tu dois te détendre.   ➔ ....

c. Tu dois bien dormir.   ➔ ....

d. Tu ne dois pas te réveiller tôt.   ➔ ....

e. Tu ne dois pas boire d'alcool.   ➔ ....

Entraîne-toi à l'oral à partir des pages **Échanges**

Vocabulaire

béret (n.m.)	parfait (adj.)
bruit (n.m.)	payer (v.)
combien	père (n.m.)
debout	personne
demoiselle (n.f.)	peut-être
entendre (v.)	quelque chose
foulard (n.m.)	quelqu'un
gratuit (adj.)	réduction (n.f.)
maintenant	rien
monnaie (n.f.)	rouge (adj.)
offrir (v.)	tee-shirt (n.m.)
ours (n.m.)	

Parle

1 Sacha n'aime pas aller travailler. Son amie l'encourage. Réponds pour lui. Écoute et vérifie tes réponses.

a. Sacha, tu te réveilles ? → Oui, ...

b. Sacha, tu te lèves ? → Oui, ...

c. Sacha, tu t'habilles ? → Oui, ...

d. Sacha, tu viens ? → Oui, ...

e. Sacha, tu te prépares ? → Oui, ...

f. Sacha, tu te dépêches ? → Oui, ...

2 On pose des questions à Sacha. Réponds pour lui. Écoute et vérifie tes réponses.

a. Tu te réveilles tôt ? → Non, ...

b. Tu te lèves tôt ? → Non, ...

c. Tu te dépêches ? → Non, ...

d. Tu t'occupes de tes frères et de tes sœurs ? → Non, ...

e. Tu te couches tôt le soir ? → Non, ...

3 Tu es en vacances sur la Côte d'Azur. Réponds. Écoute et vérifie tes réponses.

a. Vous vous levez tard ? → Oui, nous ....

b. Vos copains se lèvent tard aussi ? → Oui, ils ....

c. Tu te détends ? → Oui, ...

d. Tu t'occupes de la piscine ? → Non, ...

e. Tu te promènes ? → Non, ...

f. Vous sortez le soir ? → Oui, ...

g. Vous vous couchez tard ? → Oui, ...

4 Reformule les instructions comme dans l'exemple. Écoute et vérifie tes réponses.

Jour de départ en voyage

Exemple : *Tu dois préparer ta valise.* → ***Prépare ta valise !***

a. Tu dois t'habiller. → ....

b. Tu dois être à l'aéroport à 8 h. → ....

c. Tu dois te dépêcher. → ....

d. Tu ne dois pas oublier ton billet. → ....

5 Répète les conseils comme dans l'exemple.

Conseils à un sportif.

Exemple : *Tu ne dois pas te coucher tard.* → ***Ne te couche pas tard !***

a. Tu ne dois pas beaucoup manger. → ....

b. Tu dois te détendre. → ....

c. Tu dois bien dormir. → ....

d. Tu ne dois pas te réveiller tôt. → ....

e. Tu ne dois pas boire d'alcool. → ....

Vérifie ta compréhension

6 Ils font la liste des courses. Écoute et note dans le tableau ce qu'ils doivent acheter.

Qu'est-ce qu'ils achètent ?	Quelle quantité ?	Où ?

Travaille à partir des pages Découvertes

Vocabulaire

addition (n.f.)	normal (adj.) ....
argent (n.m.)	partager (v.) ....
beaux arts (n.m.pl.)	ping-pong (n.m.) ....
bibliothèque (n.f.)	pièce (n.f.) ....
carte bancaire (n.f.)	public (adj.) ....
changer (v.)	reçu (n.m.) ....
chèque (n.m.)	rendre (v.) ....
centime (n.m.)	rubrique (n.f.) ....
code (n.m.)	site (n.m.) ....
coûter (v.)	tarif réduit (n.m.) ....
facture (n.f.)	téléphone (n.m.) ....
marque (n.f.)	vendeur (n.m.) ....
monnaie (n.f.)	

Apprends le vocabulaire

 1 **Associe chaque phrase à une situation.**

a. Je peux avoir ma note ?　　　●

b. Je voudrais un reçu.　　　●

c. Voici votre facture.　　　●

d. Je voudrais changer 500 pesos.　　　●

e. Vous avez une carte de réduction ?　●

f. L'addition, s'il vous plaît.　　　●

● **1.** Au bureau de change.

● **2.** Dans un restaurant.

● **3.** Au guichet de la gare.

● **4.** À la réception de l'hôtel.

● **5.** Dans un garage.

● **6.** Dans un taxi, à l'arrivée.

 2 **Associe les phrases.**

a. Elle paie avec sa carte bancaire.

b. Elle paie la baguette de pain avec un billet de 50 €.

c. Elle fait une réservation au restaurant pour 50 personnes.

d. Elle va aux États-Unis.

e. Elle achète une maison.

1. Elle demande une réduction.

2. Le vendeur rend la monnaie.

3. Elle discute le prix.

4. Elle change ses euros en dollars.

5. Elle tape son numéro de code.

a.	b.	c.	d.	e.
....	....	....	....	....

Tu apprends à...

- parler de ton lieu d'habitation.
- t'orienter.
- situer un lieu.
- parler du climat.

Travaille à partir des pages Forum

Vocabulaire

ancien (adj.)	derrière	moderne (adj.)
animé (adj.)	deux-pièces (n.m.)	neuf (adj.)
appartement (n.m.)	droite (n.f.)	pièce (n.f.)
ascenseur (n.m.)	en face (de)	rez-de-chaussée (n.m.)
au bord (de)	entre	salon (n.m.)
au milieu (de)	ensoleillé (adj.)	salle à manger (n.m.)
bureau (n.m.)	équipé (adj.)	salle de bain (n.f.)
calme (adj.)	étage (n.m.)	situer (v.)
cave (n.f.)	fenêtre (n.m.)	studio (n.m.)
coin (n.m.)	gauche (n.f.)	toilettes (n.m.pl.)
colocation (n.f.)	idéal (adj.)	tourner (v.)
commerce (n.m.)	immeuble (n.m.)	trouver (v.)
confortable (adj.)	isolé (adj.)	vendre (v.)
couloir (n.m.)	logement (n.m.)	vide (adj.)
cuisine (n.f.)	louer (v.)	vieux (adj.)
curiosité (n.f.)	mètre (n.m.)	villa (n.f.)
dépendance (n.f.)	milieu (n.m.)	vue (n.f.)

Apprends le vocabulaire

1 Associe l'habitation et sa définition.

a. un château

b. une HLM

c. un immeuble

d. une maison de campagne

e. un studio

f. une villa

1. logement d'une pièce

2. logement social à loyer modéré

3. grande construction des siècles passés avec un parc

4. grande maison avec un jardin et une piscine

5. maison de week-end pour les habitants des villes

6. habitation collective de standing en ville

Leçon 8 — On est bien ici !

2 Écris le nom des différentes pièces de cette maison.

1. ....
2. ....
3. ....
4. ....
5. ....
6. ....
7. ....
8. ....
6. ....
10. ....

3 Regarde le plan de la maison et complète avec : « à gauche », « à droite », « sur », « sous », « en face », « à côté », « entre ».

a. Quand on entre dans la maison, le salon est
....

b. ...., il y a un bureau.

c. Ce bureau donne .... le jardin.

d. La salle de bain est .... les deux chambres.

e. La salle à manger est .... du salon.

f. Les toilettes sont .... de la cuisine.

g. Le garage est .... le salon.

4 Trouve le contraire.

Tu préfères :

Exemple : ➔ *La ville ou la campagne* ?

a. Le centre-ville ou .... ?

b. Un appartement ou .... ?

c. L'ancien ou .... ?

d. Meublé ou .... ?

e. Avec cuisine équipée ou .... ?

f. Acheter ou .... ?

5 Lis les petites annonces et classe les différents éléments.

A

À vendre

Belle maison
6 pièces sur un seul niveau
avec 2 salles de bain
Garage +cave
Près du centre-ville
450 000 €

B

↻ À Louer

Grand studio clair

- À côté de l'Université
- Bain et toilettes séparés
- 5ᵉ étage sans ascenseur
- 550 € / mois + charges

C

À Vendre

Antibes, *sur la côte, dans un parc avec* **vue sur la mer**.
Villa style Art Déco sur trois étages. Tout confort.
- **12 pièces** refaites à neuf.
- **6 chambres** avec salles de bain individuelles.
- **Cuisine équipée**.
- **Piscine et jacuzzi**.

Prix : nous consulter.

D

À Louer
Bel appartement
dans immeuble ancien
sur avenue ensoleillée.

4 pièces :
salon, salle à manger,
2 chambres.
3ᵉ étage. Ascenseur.

1 500 € / mois

	A	B	C	D
Location ou vente				
Type de logement				
Nombre de pièces				
Type de pièces				
Situation				
Caractéristiques				
Prix				

Travaille à partir des pages Outils

Vocabulaire

arbre (n.m.)
arrière (n.m.)
avant (n.m./prep.)
avoir besoin de (v.)
bord (n.m.)
camping (n.m.)
expliquer (v.)
falloir (il faut) (v.)
formulaire (n.m.)
fin (n.f.)
Grèce (n.f.)
haut (adj./n.m.)
hôtesse (n.f.)
immeuble (n.m.)

kiosque (n.m.)
mairie (n.f.)
ouest (n.m.)
pizzéria (n.f.)
porte (n.f.)
repartir (v.)
revenir (v.)
réunion (n.f.)
service (n.m.)
statue (n.f.)
sud (n.m.)
technique (adj.)
tout droit
traverser (v.)

Apprends à situer et à t'orienter

1 Il a rangé sa chambre. Observe le dessin et complète ce qu'il dit.

a. Les DVD sont .... la bibliothèque.

b. J'ai mis mon bureau .... la fenêtre.

c. Mon ordinateur est .... le bureau.

d. .... la pièce, il y a une table.

e. J'ai mis un tapis .... la table.

f. La télévision est .... la bibliothèque et la fenêtre.

g. Le canapé est .... de la bibliothèque.

2 Tu es à Bourg–en–Bresse, devant l'Église Notre–Dame. Complète l'itinéraire pour aller au monastère royal de Brou. Utilise les verbes « tourner », « continuer », « traverser » et « prendre ».

a. Vous prenez la rue du Maréchal–Joffre.

b. Vous .... la place de l'Hôtel–de–Ville.

c. Vous .... jusqu'au feu.

d. Au feu, vous .... à gauche.

e. Vous .... sur 100 mètres.

f. Vous .... la première à droite, puis vous .... le parking. Le monastère est devant vous .

3 Complète les explications pour aller au service des inscriptions. Utilise les verbes « traverser », « prendre », « sortir », « aller » et « tourner ».

Pour le service des inscriptions, vous .... au fond du couloir, vous .... l'ascenseur.

Quand vous .... de l'ascenseur, vous .... à gauche.

Vous .... la salle d'attente, vous .... le couloir de droite, c'est le deuxième guichet à gauche.

Apprends à conjuguer

 4 Complète les conjugaisons au présent des verbes qui expriment les déplacements.

Aller	Venir	Sortir	Partir
je	je viens	je sors	je ....
tu vas	tu	tu	tu pars
il/elle	il/elle	il/elle	il/elle ....
nous allons	nous	nous	nous ....
vous	vous	vous	vous ....
ils/elles	ils/elles viennent	ils/elles	ils/elles ....

Entrer, rentrer, Arriver, retourner ont une conjugaison régulière (verbes en –er).
Revenir se conjugue comme **venir**. **Repartir** se conjugue comme **partir**.

 5 Mets les verbes entre parenthèses à la forme qui convient.

Philippe raconte sa journée de ski.

« Hier, j'ai eu une belle journée de ski. Je (**partir**) .... de Paris par le premier TGV. Je (**arriver**) .... à Val d'Isère à 9 h. Nous (**aller**) .... sur les pistes. Nous (**rester**) .... toute la journée à skier. Après cette journée, je (**revenir**) .... à la station. Je (**retourner**) .... à la gare. À 18 h, je (**repartir**) .... Je (**rentrer**) .... à Paris à 22 h. »

Entraîne–toi à l'oral à partir des pages Échanges

Vocabulaire

amateur (adj.) ....
avoir chaud (v.) ....
avoir soif (v.) ....
bifurcation (n.f.) ....
bois (n.m.) ....
bouger (v.) ....
chemin (n.m.) ....
cueillir (v.) ....
en forme ....
excuse (n.f.) ....
hiver (n.m.) ....
installer (v.) ....
large (adj) ....

libre (adj.) ....
long (adj.) ....
mettre (v.) ....
mort (adj.) ....
panneau (n.m.) ....
perdu (adj.) ....
prune (n.f.) ....
prunier (n.m.) ....
recommencer (v.) ....
retourner (v.) ....
sérieux (adj.) ....
solaire (adj.) ....

Leçon 8 — **On est bien ici !**

Prononce

1 — Les sons [s] (« s ») et [z] (« z »). Écoute et coche.

	a.	b.	c.	d.	e.
[s]	○	○	○	○	○
[z]	○	○	○	○	○

2 — Les sons [a] (« a ») et [ã] (« an/en »). Écoute et coche.

	a.	b.	c.	d.	e.	f.	g.	h.
[a]	○	○	○	○	○	○	○	○
[ã]	○	○	○	○	○	○	○	○

3 — Prononce le son [ʒ] (« j »).

a. Au Club : le village et la plage.

b. « L'Âge de glace », c'est génial !

c. « Le Temps des gitans », c'est géant !

d. Vos vacances : bouger et partager !

e. Au petit-déjeuner : fromage.

Vérifie ta compréhension

4 — Écoute : masculin ou féminin ?

	a.	b.	c.	d.	e.	f.	g.	h.	i.	j.	k.	l.	m.
Masculin													
Féminin													

5 Écoute et note l'itinéraire sur le plan.

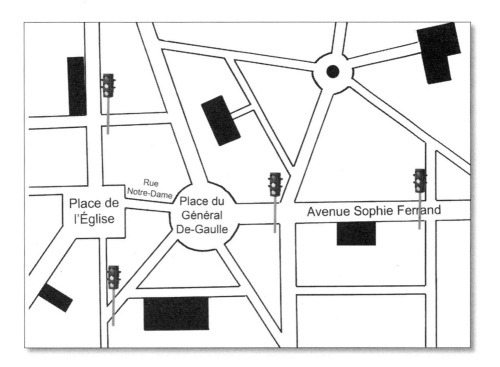

Place de l'Église

Rue Notre-Dame

Place du Général De-Gaulle

Avenue Sophie Ferrand

 6 Écoute et regarde le dessin. Indique si les phrases sont vraies ou fausses.

	a.	b.	c.	d.	e.	f.
VRAI	○	○	○	○	○	○
FAUX	○	○	○	○	○	○

Leçon 8 On est bien ici !

Parle

7 Exprime l'obligation. Confirme comme dans l'exemple. Écoute et vérifie.

En randonnée dans la montagne

Exemple : *Dépêchons-nous !* → ***Il faut se dépêcher.***

a. Tournons à droite ! → ....

b. Continuons ! → ....

c. Ne restons pas ici ! → ....

d. Ne traversons pas cette rivière ! → ....

e. Ne prenons pas ce chemin ! → ....

Travaille à partir des pages Découvertes

Vocabulaire

accueillant (adj.)	partie (n.f.) ....
amateur (adj.)	pêche (n.f.) ....
automne (n.m.)	pleuvoir (v.) ....
degré (n.m.)	pluie (n.f.) ....
doux (adj.)	présent (adj.) ....
études (n.f.pl.)	printemps (n.m.) ....
glace (n.f.)	propriétaire (n.m.) ....
individuel (adj.)	quad (n.m.) ....
intérieur (n.m.)	recommencer (v.) ....
mauvais (adj.)	requin (n.m.) ....
moitié (n.f.)	soleil (n.m.) ....
neige (n.f.)	surpris (adj.) ....
neiger (v.)	température (n.f.) ....
nuage (n.m.)	temps (n.m.) ....
orignal (n.m.)	temps (n.m.) ....
parents (n.m.pl.)	vent (n.m.) ....

1 — Pour chaque panneau, écris ce qui est interdit.

a.

b.

c.

d.

e.

f.

g.

h.

i.

Il ne faut pas :

a. ....

b. ....

c. ....

d. ....

e. ....

f. ....

g. ....

h. ....

i. ....

2 — Quel temps fait-il ? Complète.

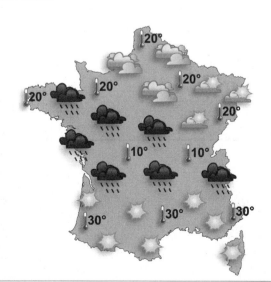

a. En Bretagne, ...

b. Dans le Nord, ...

c. Dans le Centre, ...

d. Dans le Sud, ...

e. À l'Est, ...

Préparation au DELF A1

Compréhension orale

 1 Écoute et complète les informations.

a.

Nom de la carte : ....

Service rendu : ....

Conditions d'accès : ....

Avantages : ....

b.

Nom de la carte : ....

Service rendu : ....

Prix et durée : ....

c.

Nom de la carte : ....

Service rendu : ....

Avantages : ....

Compréhension écrite

2 Lis les documents puis complète le tableau.

1

VISITEZ LE CAMBODGE !

Vous ne connaissez pas le Cambodge ?
Avec *Voyages Découvertes*

✔ Les temples d'Angkor
✔ Pnom Penh
✔ Le Mékong

10 jours – séjour hôtel*** – voyage avion A.R.

2 500 €

Départ avant le 30 juin
www.voyagedecouverte.com

2

- PRINTEMPS À MADÈRE -

Sur les traces de Sissi Impératrice...

une semaine :
hôtel – voiture – avion compris

800 €

Agence Traveltour 01 74 72 74 72

3

WEEK-END À **LONDRES**

La ville de tous les mondes

200 €

➤ en Eurostar classe standard

➤ deux nuits dans le centre de Londres

➤ le breakfast : l'original

réservations
www.hellovoyages.com

	Document 1	Document 2	Document 3
Pays de destination			
Durée du séjour			
Prix du séjour			
Moyen de réservation			

Production écrite

3 Ton ami(e) est à Avignon, Boulevard Raspail. Tu lui donnes rendez-vous Place Principale. Indique-lui le parcours.

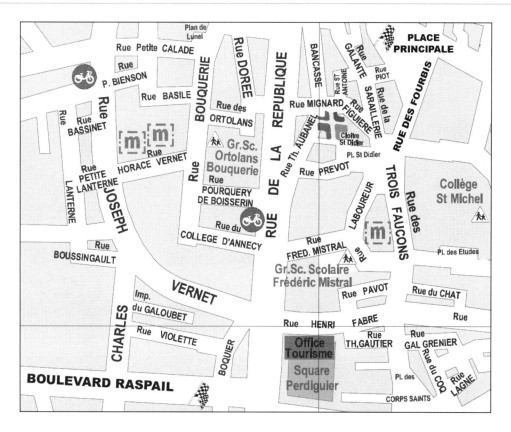

Pour aller Place Principale, ...

....

....

....

....

....

....

....

....

....

4 Tu cherches une petite maison avec un jardin. Complète la lettre à l'aide des informations ci-dessous.

vacances d'été – Bretagne – au mois d'août – votre réponse – bord de mer – un séjour, deux chambres, une cuisine, une salle de bains, des WC séparés – avec vue sur la mer – un jardin – cherche

Madame, Monsieur,

Je .... une maison à louer pour mes ....
.... Je .... une ....
.... maison ...., avec ....
....
.... et avec ....
Avez-vous une maison de ce type disponible
.... ?

Merci de ....
Avec mes meilleures salutations.

Production orale

5 Entretien dirigé. Lis les réponses. Trouve les questions correspondantes.

a. ....
Je vais au lycée tous les jours, du lundi au vendredi. Le week-end, je reste avec ma famille ou je sors avec des amis.

b. ....
Je me lève à 6 h 30.

c. ....
Je vais au lycée en tram.

d. ....
Je mets une demi-heure.

e. ....
Je déjeune à la cantine.

f. ....
Après le lycée, je rentre chez moi et je fais mes devoirs.

g. ....
Je ne fais pas de musique mais je fais du sport.

h. ....
Je fais du tennis.

i. ....
Je vais me coucher vers 23 h.

6 Échange d'informations. Voici les informations que tu reçois de la part du professeur. Écris les mots trouvés sur le post-it pour orienter l'échange.

« J'aime voyager, en Europe et en Amérique du Sud, lire (je lis beaucoup de romans policiers), écouter de la musique, surtout du jazz.

Je vais souvent au cinéma. Je fais aussi un peu de sport. Et puis j'aime bien mon métier de professeur. »

Tu apprends à...

- demander et donner des renseignements biographiques.
- présenter ta famille à tes amis.
- raconter un souvenir.

Travaille à partir des pages Forum

Vocabulaire

adolescent (n.m.)	jeunesse (n.f.)
adolescente (n.f.)	jeu de société (n.m.)
adulte (n.m. ou f.)	loger (v.)
âgé (adj.)	malheureux (adj.)
bande (n.f.)	monsieur (n.m.)
bébé (n.m.)	naissance (n.f.)
bêtise (n.f.)	naître (v.)
boîte (n.f.)	Noël (n.m.)
bonbon (n.m.)	pleurer (v.)
buffet (n.m.)	poche (n.f.)
but (n.m.)	préféré (adj.)
cimetière (n.m.)	primaire (adj.)
citron (n.m.)	récréation (n.f.)
console (n.f.)	s'arrêter (v.)
cours préparatoire (CP) (n.m.)	senior (n.m.)
	se rappeler (v.)
dessiner (v.)	se souvenir (v.)
directement	souvenir (n.m.)
études (n.f.pl.)	spectacle (n.m.)
grand-mère (n.f.)	toit (n.m.)
histoire (n.f.)	Toussaint (n.f.)

Vérifie ta compréhension du document

1 Lis le document L'album des souvenirs. Distingue les mots qui désignent :

a. une époque : ....

b. un âge : ....

c. un moment : ....

d. un évènement : ....

2 Relis le document L'album des souvenirs.
Retrouve le moment, l'âge, l'époque ou la saison qui correspond à chacun des souvenirs.

a. « Ma grand-mère me lisait des histoires. » : ....

b. « On préparait des petits spectacles avec madame Gauthier. » : ....

c. « Je mangeais des bonbons. » : ....

d. « On jouait à des jeux de société. » : ....

e. « Mes parents m'ont offert un iPhone. » : ....

f. « Pendant la récréation, nous jouions au football. » : ....

g. « Je jouais du matin au soir avec ma Game Boy. » : ....

Apprends le vocabulaire

3 Écris le nom qui correspond.

Exemple : *mourir* → ***la mort***

a. naître → ....

b. se souvenir → ....

c. âgé → ....

d. heureux → ....

e. malade → ....

f. fatigué → ....

4 Classe les mots selon leur sens : du plus jeune au plus âgé.

a. un jeune

b. une personne âgée

c. un bébé

d. un vieux

e. un adolescent

f. un senior

g. un adulte

h. un enfant

+ jeune ⟵						⟶ + vieux
c.	....	....	....	....	....	....

Leçon 9 / Souvenez-vous !

Travaille à partir des pages Outils

Vocabulaire

depuis..
étudier (v.)..................................
époque (n.f.)................................
manga (n.m.)..............................
japonais (adj.).............................
marié (adj.).................................
campagne (n.f.)..........................
endroit (n.m.)............................

surf (n.m.).................................
guitare (n.f.)..............................
interroger (v.)............................
grand-père (n.m.).......................
cabaret (n.m.)............................
fois (n.f.)...................................
poésie (n.f.)...............................

Apprends la conjugaison

 1 Trouve les formes de l'imparfait.

Verbes	Présent, 1ʳᵉ personne du pluriel (nous)	Imparfait
a. parler :	nous	→ je ....
b. apprendre :	nous	→ tu ....
c. venir :	nous	→ il / elle / on ....
d. être :	nous	→ nous ....
e. avoir :	nous	→ vous ....
f. dire :	nous	→ ils / elles ....
g. boire :	nous	→ je ....
h. attendre :	nous	→ il / elle ....

2 Conjugue les verbes à l'imparfait et aux formes suivantes :

a. faire : je .... ; nous .... ; ils ....

b. aller : tu .... ; vous .... ; elles ....

c. connaître : tu .... ; vous .... ; ils ....

d. prendre : il .... ; nous .... ; elles ....

e. étudier : j' .... ; nous .... ; vous ....

3 Complète les souvenirs comme dans l'exemple.

Exemple : *Aujourd'hui, on écoute du rap.* ➜ ***Avant, on écoutait du rock.***

a. Aujourd'hui, on voyage en avion.

➜ .... en bateau.

b. Aujourd'hui, on fait du snow-board.

➜ .... du ski.

c. Aujourd'hui, on danse sur de la techno.

➜ .... sur de la disco.

d. Aujourd'hui, on va aux Seychelles.

➜ .... chez les cousins de Bretagne.

4 Lis les réponses. Pose les questions. Utilise « depuis », « quand », « depuis combien de temps », « il y a / ça fait combien de temps »...

Interview d'un écrivain

a. .... ?

➜ J'écris depuis l'âge de seize ans.

b. .... ?

➜ Il y a cinq ans que je travaille pour les Éditions Colibri.

c. .... ?

➜ Je n'ai pas écrit de roman depuis deux ans.

d. .... ?

➜ J'ai commencé ce roman le 1ᵉʳ janvier.

e. .... ?

➜ Ça fait un mois que je ne suis pas sorti.

5 Complète avec « depuis » ou « il y a ».

a. Ivan est revenu de Buenos-Aires .... deux mois.

b. .... son retour, il travaille pour un studio de graphisme.

c. .... trois semaines qu'il m'a téléphoné ; il cherchait un colocataire.

d. .... cette semaine, nous partageons le même appartement.

6 Mets les verbes entre parenthèses au passé composé ou à l'imparfait.

a. L'année dernière, nous (**aller**) .... en Espagne. C'(**être**) .... au mois de mars.

b. Il n'y (**avoir**) .... pas beaucoup de touristes. Nous (**être**) .... tranquilles.

c. Nous (**louer**) .... une voiture. Elle (**marcher**) .... très bien.

d. Nous (**visiter**) .... l'Andalousie. Il (**faire**) .... très beau.

e. Nous (**rester**) .... deux jours à Séville. Mon ami (**avoir envie**) .... de se reposer.

Entraîne-toi à l'oral à partir des pages Échanges

Vocabulaire

accident (n.m.)	longtemps
anniversaire (n.m.)	master (n.m.)
assis (adj.)	melon (n.m.)
barbe (n.f.)	Nouvelle-Calédonie
classe (n.f. / adj.)	oncle (n.m.)
commerce (n.m.)	police (n.f.)
compliqué (adj.)	poste (n.f.)
crevette (n.f.)	production (n.f.)
dispute (n.f.)	quitter (v.)
donc	réaction (n.f.)
droit (n.m./adj.)	recherche (n.f.)
drôle (adj.)	reconnaître (v.)
ensuite	réussir (v.)
Europe (n.f.)	réussite (n.f.)
exporter (v.)	roi (n.m.)
fâché (adj.)	science (n.f.)
facteur (n.m.)	se fâcher (v.)
faculté / fac (n.f.)	se marier (v.)
félicitations (n.f.pl.)	stupide (adj.)
frère (n.m.)	suivant (adj.)
licence (n.f.)	tante (n.f.)

Prononce

 1 Écoute et répète les sons : [jɔ̃] (« yon », « ion », ...) et [jɛ̃] (« yen », « ien », ...).

a. J'ai pris mon inscription comme étudiante à Lyon.

b. Il est musicien, il s'appelle Julien, il joue à Liège.

c. Il chantait : « C'est un vieux roman, c'est une vieille histoire... »

d. Hier, je ne travaillais pas, j'ai vu l'exposition de Juliette.

e. J'ai payé ton billet pour Bayonne.

Vérifie ta compréhension

2 Écoute les phrases : coche le temps du verbe.

	Présent	Imparfait	Passé composé
a.	☐	☐	☐
b.	☐	☐	☐
c.	☐	☐	☐
d.	☐	☐	☐
e.	☐	☐	☐
f.	☐	☐	☐
g.	☐	☐	☐
h.	☐	☐	☐
i.	☐	☐	☐
j.	☐	☐	☐

Parle

3 Réponds aux questions sur ton enfance. Écoute et vérifie tes réponses.

a. Quand vous étiez enfant, vous regardiez beaucoup la télévision ?

➜ ....

b. Vous alliez à l'école en métro ?

➜ ....

c. Vous étiez un(e) bon(ne) élève ?

➜ ....

d. Vous aviez de bons professeurs ?

➜ ....

e. Vous faisiez du sport ?

➜ ....

f. Vous aimiez les jeux vidéo ?

➜ ....

4 Complète les souvenirs comme dans l'exemple. Écoute et vérifie tes réponses.

Exemple : *Aujourd'hui, on écoute du rap.* ➜ ***Avant, on écoutait du rock.***

a. Aujourd'hui, on voyage en avion.

➜ ....

c. Aujourd'hui, on danse sur de la techno.

➜ ....

b. Aujourd'hui, on fait du surf.

➜ ....

d. Aujourd'hui, on va à La Réunion..

➜ ....

Travaille à partir des pages Découvertes

Vocabulaire

agent (n.m.)

amoureux (adj.)

adolescence (n.f.)

beau-frère (n.m.)

beau-père (n.m.)

belle-mère (n.f.)

belle-sœur (n.f.)

cachette (n.f.)

cannabis (n.m.)

chef cuisinier (n.m.)

civil (adj.)

coiffeur (n.m.)

compagnon (n.m.)

contrat (n.m.)

coup de foudre (n.m.)

couple (n.m.)

déception (n.f.)

divorcer (v.)

espoir (n.m.)

fils (n.m.)

fumer (v.)

généalogique (adj.)

hésiter (v.)

heureusement

immobilier (adj.)

inconnu (n.m.)

infidèle (adj.)

intime (adj.)

lycéenne (n.f.)

marché (n.m.)

match (n.m.)

membre (n.m.)

mystérieux (adj.)

neveu (n.m.)

nièce (n.f.)

pacsé (adj.)

par hasard

passionnant (adj.)

petite-fille (n.f.)

petit-fils (n.m.)

plusieurs

policier (n.m.)

produit (n.m.)

réaliser (v.)

religieux (adj.)

ressembler (v.)

retrouver (v.)

se disputer (v.)

se rencontrer (v.)

se séparer (v.)

signer (v.)

solidarité (n.f.)

tomber (v.)

vie (n.f.)

vivre (v.)

Apprends le vocabulaire

1 Trouve le membre de la famille.

Exemple : *Le frère de mon père :* → *mon **oncle**.*

a. Le père de ma mère : → ....

b. La sœur de ma mère : → ....

c. Le fils de mon fils : → ....

d. Le mari de ma sœur : → ....

e. La fille de mon oncle et de ma tante : → ....

f. Le fils de ma sœur : → ....

g. Le frère de mon mari : → ....

2 Complète l'arbre généalogique avec les informations suivantes.

Galia et Yann ont un seul fils.

Fabien a trois enfants.

Éliette est la belle-fille de François.

Juliette est la grand-mère de Martial.

Galia est la belle sœur de Christian.

Ariel, Daniel, Assia et Martial sont les neveux de Christian.

Martial est le cousin d'Assia.

Ariel est le neveu de Yan.

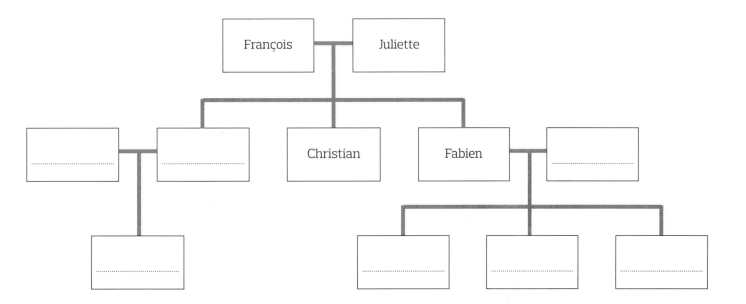

3 Pose la question et donne la réponse.

Exemple : *se rencontrer / il y a un an* ➔ ***Ils se sont rencontrés quand ?***
➔ ***Ils se sont rencontrés il y a un an.***

a. se connaître / au festival

➔ .... ?

➔ ....

b. se marier / après le spectacle

➔ .... ?

➔ ....

c. se fâcher / pendant le voyage.

➔ .... ?

➔ ....

d. s'expliquer / au restaurant.

➔ .... ?

➔ ....

e. se retrouver / au milieu de la nuit.

➔ .... ?

➔ ....

Écris

4 Avec les éléments ci-dessous, rédige une courte biographie de Cyril Raynouard.
Utilise les verbes entre parenthèses.

23 décembre 1973 : naissance / (naître)

1991 : baccalauréat / (réussir)

1991– 1994 : études de philosophie et de commerce international / (suivre)

1995 : licence de commerce international (obtenir)

1996–2000 : ingénieur financier en Afrique (Côte d'Ivoire, Guinée, Djibouti) / (travailler)

2000–2003 : consultant dans une banque internationale à Londres / (devenir)

2003–2007 : conseiller commercial en Allemagne / (nommer)

2007–2012 : banque d'investissement européenne / (diriger)

....

....

....

....

....

....

....

....

....

....

....

Tu apprends à...

- parler des moyens de communication (Internet, etc.).
- écrire des petits messages amicaux.
- utiliser les pronoms.

Travaille à partir des pages Forum

Vocabulaire

achat (n.m.)	enregistrer (v.)	personnel (adj.)
accro (adj.)	enveloppe (n.f.)	prêter (v.)
allumer (v.)	envoyer (v.)	quelquefois
assiette (n.f.)	éteindre (v.)	recevoir (v.)
boîte (n.f.)	facile (adj.)	scolaire (adj.)
connecter (v.)	familial (adj.)	social (adj.)
contrat (n.m.)	fréquence (n.f.)	tchat (n.m.)
courrier (n.m.)	imprimer (v.)	technologie (n.f.)
créer (v.)	information (n.f.)	télécharger (v.)
dialoguer (v.)	jamais	téléphoner (v)
document (n.m.)	lettre (n.f.)	tenir (v)
donner (v.)	offrir (v.)	timbre (n.m.)
électronique (adj.)	participer (v.)	webcam (n.f.)

Apprends le vocabulaire

 1 Trouve le nom correspondant au verbe.

Ce qu'on peut faire sur Internet :

Exemple : *créer :* → *une création*

a. imprimer : → ....

b. jouer : → ....

c. envoyer : → ....

d. chercher : → ....

e. participer : → ....

f. enregistrer : → ....

g. télécharger : → ....

h. dialoguer : → ....

i. acheter : → ....

2 **Associe les éléments des deux colonnes (plusieurs réponses sont possibles).**

a. envoyer ○

b. télécharger ○

c. chercher ○

d. tenir ○

e. participer à ○

○ **1.** un blog

○ **2.** des « tchats »

○ **3.** des SMS

○ **4.** des informations

○ **5.** des films

○ **6.** un message

○ **7.** des chansons

○ **8.** des forums

○ **9.** des photos

3 **Complète avec : « toujours » / « ne ... jamais » – « quelquefois » ; « de temps en temps » / « souvent ».**

Léo et Marco sont différents !

Exemple : *Léo utilise toujours son téléphone portable*

→ *Marco n'utilise jamais son téléphone portable.*

a. Léo va souvent au cinéma.

→ Marco ....

b. Léo regarde de temps en temps la télévision.

→ Marco ....

c. Léo déjeune toujours à midi

→ Marco ....

d. Léo arrive souvent en retard

→ Marco ....

4 **Écris « R » quand le verbe exprime une répétition.**

Exemple : *Il a revu le film* Taxi. → *R*

a. Elle a recherché des informations sur Internet. → ....

b. Il a réécouté un vieux disque des Doors. → ....

c. Elle a reconnu dans la rue une ancienne amie du collège. → ....

d. Ils ont rejoué *Cyrano de Bergerac.* → ....

Travaille à partir des pages Outils

Vocabulaire

cocktail (n.m.)	journal télévisé (n.m.)
corriger (v.)	lasagnes (n.f.pl.)
dialogue (n.m.)	remercier (v.)
difficile (adj.)	présentateur (n.m.)
émission (n.f.)	présentation (n.f.)
exercice (n.m.)	suivre (v.)
explication (n.f.)	sympa (adj.)
faute (n.f.)	traduire (v.)

Utilise les pronoms

 1 Observe les phrases. Que représentent les mots soulignés ?

Nouveau message

Envoyer Discussion Joindre Adresses Polices Couleurs Enr. brouillon   Navigateur de photos Afficher les modèles

À : lise.durieu@gmail.fr
Objet : participation au festival
De : antoine.david@hotmail.fr   Signature : Aucune

Bonjour Lise,

J'ai appelé Léo et Marco. Nous **les** rencontrons demain. Ils **nous** invitent à participer au festival. Léo a envoyé **le** programme. Je le trouve très bien. Marco veut **t'**aider et il a organisé des rendez-vous. Je **les** confirme par mail.

Tu **m'**appelles ce soir ?

Antoine

---

a. les : ....

b. nous : ....

c. le : ....

d. t' : ....

e. les : ....

f. m' : ....

Leçon 10 — On s'appelle ?

2 — Prépare tes réponses au professeur de français. Réponds « Oui », puis, réponds « Non ».

Exemple : *Tu comprends l'explication ?* → *Oui, je la comprends.*
→ *Non, je ne la comprends pas.*

a. Tu as ton livre ? → ....
→ ....

b. Tu travailles avec Marco ? → ....
→ ....

c. Tu travailles avec Maria ? → ....
→ ....

d. Tu parles français aux stagiaires ? → ....
→ ....

e. Tu as fait le travail ? → ....
→ ....

f. Tu as fait les exercices ? → ....
→ ....

g. Tu as compris le texte ? → ....
→ ....

3 — Complète les réponses.

Exemple : *Vous faites les exercices ?* → *Oui, je les fais.*

a. Vous faites le stage ? → Oui, ...

b. Tu prends l'inscription ? → Oui, ...

c. Elle a les horaires ? → Oui, ...

d. Vous connaissez les animatrices ? → Oui, ...

e. Ils traduisent les conférences ? → Oui, ...

4 — Complète avec des pronoms pour éviter les répétitions.

Un metteur en scène parle à un journaliste.

« Je suis très proche des comédiens. Je .... parle beaucoup. Quand un artiste a des difficultés, il peut .... parler. Je .... donne des conseils.

Il faut aussi savoir être dur. Avant une journée importante avec des scènes difficiles, je .... demande de bien se reposer. Je demande aux techniciens de .... laisser tranquilles. »

5 Complète le dialogue avec des questions.

a. – .... ?
  • Oui, je vais au cinéma.

b. – .... ?
  • Au Pathé Palace.

c. – .... ?
  • Demain, à la séance de 19 h.

d. – .... ?
  • Avec Yacine, Élodie et Vanessa.

e. – .... ?
  • Un film avec Marion Cotillard et Matt Damon.

f. – .... ?
  • Si, je vais réserver les places.

Entraîne–toi à l'oral à partir des pages Échanges

Vocabulaire

Afrique (n.f.)	Japon (n.m.) ....
avoir raison (v.)	là-bas ....
banal (adj.)	manquer (v.) ....
charmant (adj.)	peindre (v.) ....
complet (adj.)	raison (n.f.) ....
conseil (n.m.)	secrétariat (n.m.) ....
dessin (n.m.)	sonner (v.) ....
enfance (n.f.)	sûr (adj.) ....
extraordinaire (adj.)	tour (n.m.) ....
faire attention (v.)	totalement ....
image (n.f.)	attention ....
infirmière (n.f.)	

Prononce

1 Écoute et distingue [ʃ] et [ʒ] (« ch » et « j »).

	a.	b.	c.	d.	e.
[ʃ]					
[ʒ]					

2 Différencie [ʃ] et [ʒ], [S] et [Z] (« s », « z », « ch » et « j »). Répète et confirme comme dans l'exemple. Écoute pour vérifier tes réponses.

Exemple : *C'est international ?* → *C'est très international !*

a. C'est classique ? → ....

b. C'est joli et charmant ? → ....

c. C'est intéressant ? → ....

d. C'est étrange ? → ....

e. C'est attachant ? → ....

Parle

3 Réponds selon tes habitudes en utilisant un pronom complément direct. Écoute pour vérifier tes réponses.

a. Vous regardez la télévision ? → ....

b. Vous utilisez l'ordinateur ? → ....

c. Vous lisez les journaux français ? → ....

d. Vous connaissez les romans de Balzac ? → ....

e. Vous écoutez la radio en français ? → ....

f. Vous aimez la cuisine française ? → ....

g. Vous aimez les films français ? → ....

4 Prépare tes réponses au professeur de français. Réponds « oui », puis réponds « non ». Écoute pour vérifier tes réponses.

a. Tu comprends l'explication ? → ....

→ ....

b. Tu as ton livre ? → ....

→ ....

c. Tu travailles avec Marco ? → ....

→ ....

d. Tu travailles avec Maria ? → ....

→ ....

e. Tu parles français avec les assistants ? → ....

→ ....

f. Tu as fait le travail ? → ....

→ ....

g. Tu as fait les exercices ? ➜ ....

➜ ....

h. Tu as compris le texte ? ➜ ....

➜ ....

Vérifie ta compréhension

 5 Écoute. Ils s'excusent. Trouve le dessin correspondant.

1

2

3

4

a. dessin ➜ ....   **c.** dessin ➜ ....

b. dessin ➜ ....   **d.** dessin ➜ ....

Travaille à partir des pages Découvertes

Vocabulaire

accepter (v.)	main (n.f.)
adresser (v.)	mairie (n.f.)
apporter (v.)	message (n.m.)
auberge (n.f.)	plaisir (n.m.)
au lieu de	présentation (n.f.)
bisou (n.m.)	présenter (v.)
cadeau (n.m.)	prier (v.)
cérémonie (n.f.)	quart (n.m.)
chéri(e) (n.m./n.f. ou adj.)	regretter (v.)
cordialement	remercier (v.)
crier (v.)	représenter (v.)
embrasser (v.)	retard (n.m.)
enchanté (adj.)	serrer (v.)
espérer (v.)	s'excuser (v)
essayer (v.)	situation (n.f.)
exposé (n.m.)	soirée (n.f.)
féliciter (v.)	souhaiter (v)
fleur (n.f.)	succès (n.m.)
garder (v.)	surprise (n.f.)
héros (n.m.)	tout compris
informel (adj.)	tutoyer (v.)
interlocuteur (n.m.)	vœu (n.m.)
joyeux (adj.)	vouvoyer (v.)

Apprends le vocabulaire

1 Relie chaque phrase à une situation.

a. Je le regrette. ○   ○ **1.** Julien a réussi à un examen.

b. Je te félicite ! ○   ○ **2.** À un vieux monsieur, au moment d'entrer dans l'ascenseur.

c. Je l'espère. ○   ○ **3.** Ils ont fait connaissance. Ils s'aiment bien.

d. Essaie encore. ○   ○ **4.** Vanessa n'a pas réussi à bien chanter une chanson.

e. Je vous embrasse. ○   ○ **5.** À la fin d'une lettre adressée à ses parents.

f. Je vous en prie. ○   ○ **6.** Hier soir, il est tombé amoureux. Il lui dit qu'il a envie de la revoir.

g. On se dit « tu » ? ○   ○ **7.** Il n'est pas allé voir le concert de Air. Dommage, c'était formidable !

Vérifie ta compréhension

2 Lis les messages et complète le tableau.

a.

Salut,
Samedi, ça se passe à La Loco.
C'est mon anniversaire.
Je vous attends toutes et tous.
Marco

b.

Clément et Clélia vous remercient pour vos témoignages d'affection à l'occasion de leur mariage.

c.

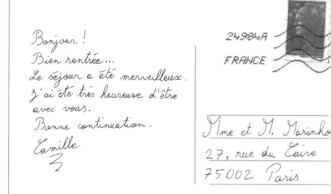

Bonjour !
Bien rentrée…
Le séjour a été merveilleux.
J'ai été très heureuse d'être avec vous.
Bonne continuation.
Camille

24.984A
FRANCE

Mme et M. Marinho
27, rue du Caire
75002 Paris

d.

Liberté · Égalité · Fraternité
RÉPUBLIQUE FRANÇAISE

À l'occasion de la Fête Nationale
L'ambassadeur de France et Madame
prie M. Patrick Dantec
de leur faire l'honneur d'assister à la cérémonie
qui aura lieu le 14 juillet à 11 h.

R.S.V.P

e.

Voda NZ 3G   10:56 AM
Messages   **Eric**   Edit

Salut Eric,
Je ne pourrai pas assister à la première de ton film.
Je le regrette beaucoup.
Bonne chance.
Je t'embrasse.
François

f.

Pas pu être là pour t'accueillir.
Désolé.
Fais comme chez toi.
Kévin

	Type de message (courriel, carte postale, etc.)	Qui écrit ? À qui ?	À quelle occasion ?	S'agit-il : - d'une invitation ? - de remerciements ? - d'excuses ?
a.	**a.** un courriel	Marco écrit à ses amis.	À l'occasion de sa fête d'anniversaire.	d'une invitation.
b.				
c.				
d.				
e.				
f.				

Tu apprends à...

- exposer un problème personnel.
- demander ou donner un conseil.
- te débrouiller en cas de problème de santé.
- t'informer sur les études et la scolarité.

Travaille à partir des pages Forum

Vocabulaire

ado (n.m. ou f.)	mal à l'aise
avis (n.m.)	marcher (v.)
avoir mal à (v.)	nerveux (adj.)
canette (n.f.)	ordre (n.m.)
choisir (v.)	paquet (n.m.)
chômage (n.m.)	pote (n.m. ou f.)
cigarette (n.f.)	poche (n.f.)
conseiller (n.m. ou v.)	quitter (v.)
critiquer (v.)	refuser (v.)
devenir (v.)	se demander (v.)
estomac (n.m.)	se sentir (v.)
éviter (v.)	solution (n.f.)
ex (n.m. ou f.)	timide (adj.)
exposer (v.)	tousser (v.)
guérir (v.)	trac (n.m.)
inutile (adj.)	trouble (n.m. ou adj.)
maigre (adj.)	truc (n.m.)
maladie (n.f.)	

Apprends le vocabulaire

 1 **Complète avec le contraire des mots soulignés.**

Exemple : *Stéphane est calme.* → ***Virginie est nerveuse.***

a. Cet exercice est underline{difficile}.   → Ce test est ....

b. Pierre est underline{bavard}.   → Marie est ....

c. Ce travail est underline{utile}.   → Cet exercice est ....

d. Son histoire est underline{vraie}.   → Cette information est ....

e. Arriver à 10 h, c'est underline{possible}.   → Arriver à 9 h, c'est ....

Apprends le vocabulaire

2 **Complète les phrases.**

a. Il est allé à la banque. Il a mis 100 euros sur son ....

b. C'est un gros fumeur. Il fume deux .... de cigarettes par jour.

c. Avant d'entrer en scène, l'acteur a le ....

d. Je vais au bureau à pied. J'aime .... sur le boulevard.

e. Paul était malade. Il est resté deux jours au lit. Maintenant, ça va mieux. Il est ....

f. Pour aller à la cathédrale, il faut .... les panneaux.

3 **Associe un conseil à chaque situation.**

a. Je tousse et je suis fatigué.

b. Mon chien veut me suivre partout.

c. Je suis timide, je n'aime pas parler en public.

d. Quand je vois une publicité, je vais acheter le produit.

e. C'est notre fils, il se sent très bien chez papa maman. Nous ne pouvons pas le mettre à la porte.

1. Je vous propose une solution : ne prenez pas d'argent, pas de carte de crédit.

2. Un conseil : respirez profondément.

3. À mon avis, vous devez le laisser seul.

4. Il faut l'aider à trouver un studio en ville.

5. Je vous conseille d'aller voir un médecin.

a.	b.	c.	d.	e.
....	....	....	....	....

4 **Associe un conseil à chaque situation.**

a. Je te conseille de réserver ta place, c'est un chanteur très populaire.

b. Un conseil : visite le château. Il est magnifique.

c. Journaliste ? À mon avis, il n'y a pas beaucoup de possibilités.

d. Je vous propose une solution : payez-moi la moitié maintenant, l'autre moitié dans un mois.

e. Faites attention à la neige !

1. Il fait un voyage touristique.

2. Elle cherche du travail.

3. Ils vont prendre la route et écoutent la météo.

4. Elle va assister à un concert.

5. Il n'a pas beaucoup d'argent sur son compte.

a.	b.	c.	d.	e.
....	....	....	....	....

Travaille à partir des pages Outils

Vocabulaire

annonce (n.f.)	positif (adj.) ....
assistant(e) (n.m. ou f.)	ridicule (adj.) ....
échange (n.m.)	entraîneur (n.m.) ....
emmener (v.)	sélectionner (v.) ....
en direct	technique (n.f.) ....
lycéen (n.m.)	tout le monde ....
marche (n.f.)	

Apprends les conjugaisons

1 Rapporte le dialogue de Clément et François.

François : J'ai un problème avec mon ordinateur.

Clément : Qu'est-ce qui se passe ?

François : Je ne sais pas.

Clément : Éteins tout et redémarre.

François : Est-ce que je vais perdre mon document ?

Clément : C'est possible.

François dit à Clément qu'il a un problème ....

....

....

....

....

2 Complète avec des pronoms compléments directs et indirects.

Un journaliste va interviewer une actrice célèbre.

Bérangère me reçoit à l'hôtel Ritz. Je .... dis bonjour.

Elle .... dit d'entrer et .... demande si je veux du thé.

Je .... réponds que j'adore le thé. Je .... dis que j'ai vu son film et que je .... ai trouvé formidable.

Elle .... demande où je .... ai vu. Je .... réponds que je .... ai vu à Cannes.

Je .... demande de .... parler du tournage.

Elle .... dit qu'elle a beaucoup aimé jouer avec Alfredo.

Leçon 11 J'ai un problème

3 Complète avec des pronoms compléments indirects.

– Le fils de tes voisins, tu .... as écrit ?

• Oui, et il .... répondu !

– Tu .... as donné un rendez-vous ?

• Oui, il .... a donné rendez-vous dans un café.

– Tu .... as parlé ?

• Oui, je .... ai téléphoné !

– Il .... a semblé comment ?

• Il a une voix chaleureuse, il .... a semblé sympa.

4 Remplace les mots soulignés par un complément indirect.

Exemple : *Tu as demandé l'autorisation à ton père ?*

➜ *Tu **lui** as demandé l'autorisation ?*

a. Tu as envoyé un courriel à tes cousins ?

➜ .... ?

b. Tu as raconté tes vacances à tes amis ?

➜ .... ?

c. Tu as répondu à ta sœur ?

➜ .... ?

d. Il a donné le DVD à sa copine ?

➜ .... ?

e. Elle a dit à ses amis qu'elle venait ?

➜ .... ?

Entraîne–toi à l'oral à partir des pages Échanges

Vocabulaire

absent (adj.) ....
accord (n.m.) ....
ambulance (n.f.) ....
à partir de ....
bagage (n.m.) ....
bras (n.m.) ....
clinique (n.f.) ....
couper (v.) ....
de la part de ....
dent (n.f.) ....
dentiste (n.m.) ....
étonnant (adj.) ....
exceptionnel (adj.) ....

déranger (v.) ....
fini (adj.) ....
hôpital (n.m.) ....
jambe (n.f.) ....
malade (adj.) ....
médicament (n.m.) ....
mission (n.f.) ....
nouvelles (n.f.pl.) ....
occupé (adj.) ....
ordonnance (n.f.) ....
patienter (v.) ....
pharmacie (n.f.) ....
pharmacien (n.m.) ....

programmer (v.) ....
rappeler (v.) ....
remplacer (v.) ....
résider (v.) ....
rollers (n.m.pl.) ....
se casser (v.) ....
se blesser (v.) ....
se faire mal à (v.) ....
supporter (v.) ....
tout à coup ....
urgence (n.f.) ....
ventre (n.m.) ....

Prononce

1 Écoute. Relève les mots contenant le son [p] et le son [b].

	[p]	[b]
a.	sportif	bizarre
b.		
c.		
d.		
e.		
f.		

Parle

2 Réponds selon tes habitudes. Utilise les pronoms compléments indirects. Écoute pour vérifier tes réponses.

Quelles sont vos habitudes en vacances ?

a. Vous écrivez à vos amis ? → ....

b. Vous envoyez des courriels à vos amis ? → ....

c. Vos amis vous répondent ? → ....

d. Vous écrivez à votre frère ou à votre sœur ? → ....

e. Vous téléphonez à votre ami(e) ? → ....

f. Vous faites des cadeaux à vos amis ? → ....

g. Vous parlez aux autres touristes ? → ....

3 Réponds négativement. Écoute pour vérifier tes réponses.

a. Tu le supportes ? → ....

b. Tu vas à la cafétéria avec lui ? → ....

c. Tu travailles avec lui ? → ....

d. Tu lui parles ? → ....

e. Il te parle ? → ....

e. Tu lui dis bonjour ? → ....

f. Vous vous regardez ? → ....

g. Vous vous disputez ? → ....

Leçon 11 | J'ai un problème

4 Réponds selon l'indication. Utilise « encore » ou « ne ... plus ».
Écoute pour vérifier tes réponses.

Donne-moi de tes nouvelles

a. Tu travailles encore avec lui ?   ➜ Oui, ...

b. Tu habites encore chez tes parents ? ➜ Non, ...

c. Tu as encore ta vieille Playstation ? ➜ Oui, ...

d. Tu joues encore au football ?   ➜ Non, ...

e. Tu écoutes encore du jazz ?   ➜ Oui, ...

f. Tu fais encore du ski ?   ➜ Non, ...

g. Tu vois encore Florence et Paul ?   ➜ Oui, ...

Vérifie ta compréhension

5 Écoute la conversation téléphonique. Note les informations.

Nom de la carte : ....

Nom de la société : ....

Moyen de transport : ....

Prix de la carte : ....

Types de réductions possibles : ....

Types de trains : ....

Pays : ....

6 Écoute. Trouve le dessin correspondant à la situation.

a.

b.

c.

d.

e.

f.

a.	b.	c.	d.	e.	f.
dessin :	dessin :	dessin :	dessin :	dessin :	dessin : ....

Travaille à partir des pages Découvertes

Vocabulaire

administration (n.f.) ....
autorisation (n.f.) ....
apprentissage (n.m.) ....
carnaval (n.m.) ....
chimie (n.f.) ....
civique (n.f.) ....
club (n.m.) ....
collégien (n.m.) ....
connaissance (n.f.) ....
délégué (adj./n.m.) ....
demande (n.f.) ....
économique (adj.) ....
éducation (n.f.) ....
élève (n.m. ou f.) ....
enseignement (n.m.) ....

étranger (n.m. / adj.) ....
exister (v.) ....
file d'attente (n.f.) ....
final (adj.) ....
foyer (n.m.) ....
général (adj.) ....
ingénieur (n.m.) ....
jeune (n.m. ou f./adj.) ....
laïc (adj.) ....
lettres (n.f.pl.) ....
littéraire (adj.) ....
magazine (n.m.) ....
métier (n.m.) ....
obligatoire (adj.) ....
par rapport à ....

porter (v.) ....
presque ....
privé (adj.) ....
religion (n.f.) ....
relation (n.f.) ....
remplir (v.) ....
respecter (v.) ....
se dérouler (v.) ....
sérieusement ....
se spécialiser (v.) ....
signe (n.m.) ....
simple (adj.) ....
surveillant (n.m.) ....
trou (n.m.) ....
voie (n.f.) ....

Apprends le vocabulaire

 1 Regarde l'emploi du temps de la page 114 du livre de l'élève. Classe les disciplines dans le tableau.

Matières scientifiques	Sciences sociales	Disciplines linguistiques	Disciplines sportives

2 Entoure l'intrus.

a. histoire – géographie – mathématiques

b. physique – sciences de la vie et de la terre – allemand

c. chimie – anglais – français

d. sciences économique et sociale – physique – éducation civique

e. éducation physique – physique – chimie

Vérifie ta compréhension

3 Vrai ou faux.

	VRAI	FAUX
a. L'école est obligatoire.	○	○
b. 15 % des élèves vont dans le privé.	○	○
c. Tous les enfants vont à l'école à partir de trois ans.	○	○
d. Au collège, les élèves apprennent deux langues étrangères.	○	○
e. En classe de seconde, les élèves choisissent entre les voies scientifique, économique ou littéraire.	○	○
f. 70 % des jeunes français passent le baccalauréat.	○	○
g. Dans un lycée professionnel, on se prépare pour un métier.	○	○

Tu apprends à...

- faire la description physique de quelqu'un.
- parler de tes goûts et de tes activités.
- te présenter par écrit.
- demander et donner une explication.

Travaille à partir des pages Forum

Vocabulaire

ambiance (n.f.)	impatient (adj.)
antipathique (adj.)	mince (adj.)
association (n.f.)	naturel (adj.)
bénévole (n.f. ou m./adj.)	nul (adj.)
caractère (n.m.)	Pâques (n.f.pl.)
chaleureux (adj.)	paresseux (adj.)
collection (n.f.)	partenaire (n.m. ou f.)
compagne (n.f.)	passion (n.f.)
compétence (n.f.)	patient (adj.)
compétent (adj.)	peureux (adj.)
contacter (v.)	pierre (n.f.)
courageux (adj.)	rejoindre (v.)
créatif (adj.)	restaurer (v.)
décontracté (adj.)	sac à dos (n.m.)
difficulté (n.f.)	s'amuser (v.)
dizaine (n.f.)	scénariste (n.m. ou f.)
dynamique (adj.)	scène (n.f.)
échanger (v.)	solidaire (adj.)
échecs (n.m.pl.)	sourire (n.m.)
égal (adj.)	stressé (adj.)
expérience (n.f.)	stylisme (n.m.)
financer (v.)	travailleur (n.m./adj.)
intelligent (adj.)	triste (adj.)

Apprends le vocabulaire

1 Classe les traits de caractère dans le tableau (certaines qualités peuvent figurer dans plusieurs colonnes).

sérieux(se) – bon caractère – chaleureux(se) – patient(e) – dynamique – créatif(ve) – timide – décontracté(e) – passionné(e) – courageux(se) – pas compliqué(e) – aime les contacts – compétent(e) – drôle – sympathique

Qualités personnelles	Qualités professionnelles	Qualités dans les relations avec les autres

2 Associe chaque adjectif avec son contraire.

a. compétent ●
b. dynamique ●
c. courageux ●
d. patient ●
e. sympathique ●
f. chaleureux ●
g. passionné ●
h. timide ●
i. drôle ●
j. compliqué ●
k. décontracté ●
l. tendu ●

● **1.** froid
● **2.** impatient
● **3.** audacieux
● **4.** mou
● **5.** simple
● **6.** détendu
● **7.** antipathique
● **8.** indifférent
● **9.** triste
● **10.** lâche
● **11.** stressé
● **12.** incompétent

3 Complète avec le nom ou l'adjectif.

Exemple : *Il est <u>compétent</u>.*
      ➜ *Il a une **compétence** certaine.*

a. Il est <u>courageux</u>.
  ➜ Il est plein de ....

b. Il est <u>patient</u>.
  ➜ Avec les enfants, il a beaucoup de ....

c. Il est <u>sympathique</u>.
  ➜ J'ai de la .... pour lui.

d. Il a un défaut : sa <u>timidité</u>.
  ➜ Il est ....

e. On lit la <u>tristesse</u> sur son visage.
  ➜ Elle est ....

f. Elle est pleine d'<u>audace</u>.
  ➜ Elle est ....

g. Elle raconte des histoires avec <u>drôlerie</u>.
  ➜ Elle est ....

h. Nous apprécions sa <u>simplicité</u>.
  ➜ Il est ....

i. Il est d'une grande <u>froideur</u> avec les autres.
  ➜ Il est ....

4 Caractérise chaque personne avec un adjectif.

Exemple : *François travaille beaucoup.* → *François est travailleur.*

a. Sarah ne parle pas aux autres. → ....

b. Yassine a toujours des idées. → ....

c. Léo n'a peur de rien. → ....

d. Mathis fait rire les autres. → ....

e. Julie a toujours peur de ne pas y arriver. → ....

f. Cécilia dit toujours bonjour avec le sourire. → ....

g. David ne salue jamais. → ....

Travaille à partir des pages **Outils**

Vocabulaire

autour .... ouvrière (n.f.) ....
biologie (n.f.) .... perdre (v.) ....
discours (n.m.) .... scoop (n.m.) ....
micro (n.m.) .... travailleuse (n.f.) ....
ouvrier (n.m.) ....

Utilise le pronom « qui »

 1 Présente des informations : caractérise avec le pronom « qui ».

Exemple : *Nous habitons une maison ; elle se trouve dans un joli quartier à la campagne.*
> → ***Nous habitons une maison qui se trouve dans un joli quartier à la campagne.***

a. C'est une grande maison ; elle a appartenu à ma grand-mère.

→ ....

b. Nos voisins sont des créatifs ; ils travaillent dans la communication.

→ ....

c. Ils ont deux enfants ; ils ont l'âge de mon frère.

→ ....

d. Ce sont des enfants décontractés ; ils aiment faire du sport.

→ ....

e. Nous organisons ensemble des petites fêtes ; elles rassemblent les voisins du quartier.

→ ....

f. Finalement, j'aime bien la campagne ; ça ressemble un peu à la ville.

→ ....

Présente et caractérise

2 Complète avec « c'est ... », « il/elle est ... ».

a. .... ton nouvel ordinateur ?

b. Oui, ... très performant.

c. On dit qu'.. très rapide.

d. Oui, ... une Ferrari !

e. Ça va changer ta vie ! .... cher ?

f. Non, ... une promotion. Je l'ai acheté chez Surcouf.

g. Tu crois qu'.. toujours en promotion ?

Donne des ordres et des conseils

3 Insiste comme dans l'exemple. Utilise l'impératif avec un pronom complément.

Victoria donne des conseils à Julien pour la préparation de son prochain voyage.

Exemple : *Tu dois appeler l'agence de voyage.* → *Appelle-la !*

a. Tu dois réserver tes billets d'avion. → ....

b. Tu dois confirmer l'heure d'arrivée. → ....

c. Tu dois préparer tes bagages.→ ....

d. Tu ne dois pas mettre ton rasoir dans ton bagage à main. → ....

e. Tu ne dois pas oublier ton passeport. → ....

f. Et tu dois m'appeler à ton arrivée. → ....

Entraîne-toi à l'oral à partir des pages Échanges

Vocabulaire

à cause de	ministère (n.m.) ....
amener (v.)	rarement ....
banlieue (n.f.)	recette (n.f.) ....
budget (n.m.)	roman policier (n.m.) ....
cheveux (n.m.)	se décider (v.) ....
dur (adj.)	s'entendre (v.) ....
hériter (v.)	se passer (v.) ....
inspecteur (n.m.)	situé (adj.) ....
meurtre (n.m.)	vraiment ....

Distingue le féminin et le masculin

 1 Écoute et note si le mot est masculin ou féminin. Les deux solutions sont parfois possibles.

	Masculin	Féminin
a.	○	○
b.	○	○
c.	○	○
d.	○	○
e.	○	○
f.	○	○
g.	○	○
h.	○	○
i.	○	○
j.	○	○
k.	○	○
l.	○	○
m.	○	○
n.	○	○

Prononce

 2 Écoute et indique la prononciation : dessine un ■ sous le son [ø] et un ● pour le son [œ].

Cherche… Interlocuteur joyeux, seul et amoureux…

Serveur sérieux et courageux mais pas nerveux.

Achète… Un peu de beurre, un peu de bœuf mais du meilleur !

Paie… Œuvre en euro… Ordinateur sans erreur

Parle

 3 Transforme comme dans l'exemple. Écoute pour vérifier ta réponse.

Exemple : *J'ai un cousin ; il est drôle.* ➜ ***J'ai un cousin qui est drôle.***

a. J'ai une tante ; elle est stupide. ➜ ....

b. J'ai un grand-père ; il est âgé. ➜ ....

c. J'ai une amie ; elle est amoureuse de moi. ➜ ....

d. J'ai une copine ; elle est amusante. ➜ ....

e. J'ai une belle-sœur ; elle est compliquée. ➜ ....

f. J'ai un compagnon ; il est décontracté. ➜ ....

g. J'ai un neveu ; il est dangereux. ➜ ....

Parle–moi de toi !

4 Insiste comme dans l'exemple. Écoute pour vérifier ta réponse.

Conseils à un étranger qui étudie le français en France.

Exemple : *Accepte les invitations des Français.* → ***Accepte-les.***

a. Appelle ta correspondante française. → ....

b. Parle à tes voisins. → ....

c. Regarde la télévision française. → ....

d. N'écoute pas la radio de ton pays. → ....

e. Ne sors pas avec les étudiants de ton pays. → ....

f. Pendant les vacances, visite les régions de France. → ....

g. Ne tutoie pas ton professeur d'université. → ....

Vérifie ta compréhension

5 Écoute les descriptions. Écris sous chaque dessin le nom du personnage correspondant.

a. Margot   **b.** Romain   **c.** Clarisse   **d.** Flore   **e.** Jérémy

Travaille à partir des pages Découvertes

Vocabulaire

au contraire ....
bague (n.f.) ....
basket (n.m. ou f.) ....
bijou (n.m.) ....
bleu (adj.) ....
blond (adj.) ....
bonnet (n.m.) ....
botte (n.f.) ....
brun (adj.) ....
casquette (n.f.) ....
chapeau (n.m.) ....
charme (n.m.) ....
chaussette (n.f.) ....
chemisier (n.m.) ....
collier (n.m.) ....
coloré (adj.) ....
costume (n.m.) ....
couleur (n.f.) ....
cravate (n.f.) ....
écharpe (n.f.) ....
écologiste (n.m. ou f./adj.) ....
ethnique (adj.) ....
étroit (adj.) ....
gothique (n.m. ou f./adj.) ....
gratuitement ....
gris (adj.) ....
horreur (n.f.) ....
importance (n.f.) ....
jaune (adj.) ....

jean (n.m.) ....
jupe (n.f.) ....
légèrement ....
manteau (n.m.) ....
marron (adj. inv.) ....
mélanger (v.) ....
mesurer (v.) ....
mode (n.f.) ....
moyen (adj.) ....
orange (n.f./adj. inv.) ....
originalité (n.f.) ....
pantalon (n.m.) ....
paraître (v.) ....
pratiquer (v.) ....
préférence (n.f.) ....
publicitaire (adj.) ....
pull (n.m.) ....
robe (n.f.) ....
rond (adj.) ....
roux (adj.) ....
se maquiller (v.) ....
stade (n.m.) ....
surveiller (v.) ....
survêtement (n.m.) ....
style (n.m.) ....
taille (n.f.) ....
veste (n.f.) ....
violet (adj.) ....

Leçon 12 **Parle-moi de toi !**

Vérifie ta compréhension

 1 Lis le document « À chacun son style », page 122 du livre de l'élève. Relie la façon de s'habiller, le type social et la profession.

Type social	Façon de s'habiller	Profession
a. le décontracté ●	● **1.** années 60 ●	● **A.** architecte
b. le créatif ●	● **2.** jogging et basket ●	● **B.** sans travail
c. le jeune ●	● **3.** classique ●	● **C.** chef d'entreprise
d. le décideur ●	● **4.** tout en noir ●	● **D.** étudiant
e. le bobo (bourgeois bohème) ●	● **5.** jean et teeshirt ●	● **E.** professeur de faculté

Écris

2 Décris ces trois personnes.

1

2

3

1. Elle est ....
....
....
....
....

2. Il est ....
....
....
....
....

3. Il est ....
....
....
....
....

3 Il y a trois candidates au poste de «chargée de communication». Associe chaque description à la photo correspondante.

Candidate 1

Elle a une allure très féminine.

Elle est souriante.

Elle est habillée strictement : elle porte une veste, une jupe noire et un chemisier blanc.

Elle est dynamique, compétente et sérieuse.

Candidate 2

Elle fait un peu adolescente.

Elle est petite.

Elle porte des baskets, un jean large et un tee-shirt.

Elle est très décontractée, souriante et chaleureuse.

Candidate 3

Elle a un look de créative.

Elle est de taille moyenne.

Elle porte une tenue chic et décontractée : bottes, jean et veste.

Elle est cultivée, intelligente et compliquée.

Candidate ....   Candidate ....   Candidate ....

Préparation au DELF A1

Compréhension orale

1 Comprends des informations pratiques au téléphone.

a. Écoute les quatre documents sonores. Indique pour chacun d'entre eux de quoi il s'agit.

	Document 1	Document 2	Document 3	Document 4
une information sportive	○	○	○	○
une information culturelle	○	○	○	○
un bulletin météo	○	○	○	○
un voyage d'affaires	○	○	○	○
un rendez-vous professionnel	○	○	○	○
une réservation d'hôtel	○	○	○	○
un voyage touristique	○	○	○	○

b. Quel document correspond à :

	Document 1	Document 2	Document 3	Document 4
une conversation téléphonique	○	○	○	○
un message personnel laissé sur un répondeur	○	○	○	○
un message d'annonce sur un répondeur	○	○	○	○

c. Retrouve les informations.

Document 1

Où : ....

Titre du film : ....

Horaire des séances : ....

Document 2

Durée du séjour : ....

Nombre de personnes : ....

Type de chambre : ....

Document 3

Destination : ....

Moyen de transport : ....

Jour de départ : ....

Heure de départ : ....

N° de vol : ....

Aéroport : ....

Document 4

Objet du message : ....

Jours : ....

Heure : ....

Compréhension écrite

2 Comprends des messages écrits.

a.

Salut tout le monde !
La Fête des premières du lycée, c'est

VENDREDI À PARTIR DE 19H30
AU GYMNASE

On a la permission de minuit !
N'oubliez pas les quiches, les pizzas,
les salades, les chips et le coca.

DJ MANU assurera l'ambiance.
Eux et MOI

b.

Nouveau message

À : berthier_sarah@hotmail.fr
Objet :
De : léo.leroy@orange.fr

Très content de t'avoir rencontrée chez Lisa.
J'ai compris que tu aimais bien le cinéma.
Le film The Artist, avec Jean Dujardin, ça te dit ?
Si oui, rendez-vous mercredi à l'UGC Cité Ciné à 14 h.
Ne réponds surtout pas mais fais-moi la surprise !

c

Chère Karine,

Buenos Aires, c'est GÉANT !

Quinze jours à visiter et à faire

la fête... Temps superbe : février,

c'est idéal.

Je sais tout du tango et de la

nostalgie de la nuit porteña.

Loïc

Karine Marty

12 rue des Matelots

4 4 0 0 0 NANTES

a. Identifie chaque document.

	Document A	Document B	Document C
une carte postale	○	○	○
un flyer	○	○	○
un courriel	○	○	○

b. Pour chaque document, trouve les informations suivantes :

Qui écrit ? ....

À qui ? ....

À propos de quoi ? ....

Quand ? ....

Où ? ....

Production orale : le récit

 3 Chasse l'intrus.

Voici des ensembles de mots qui correspondent aux différents moments d'un récit. Dans chaque ensemble se trouve un intrus. Trouve lequel et indique à quel moment du récit il correspond.

a. Avant l'histoire :

il y a un an ; la semaine dernière ; il y a quelques jours ; par la suite

➜ mot intrus : .... / moment du récit : ....

b. Au début de l'histoire :

au début ; d'abord ; au départ ; à ce moment-là

➜ mot intrus : .... / moment du récit : ....

c. Pendant l'histoire :

ce jour-là ; au même moment ; en même temps

➜ mot intrus : .... / moment du récit : ....

d. Pendant l'histoire, à la suite :

le lendemain ; c'est alors que ; la semaine suivante ; en fin de compte

➜ mot intrus : .... / moment du récit : ....

e. À la fin de l'histoire :

enfin ; finalement ; puis ; en conclusion

➜ mot intrus : .... / moment du récit : ....

Production orale : échange d'informations

 3 Voici le résumé de la vie professionnelle et personnelle de Karim. Trouve les questions.

1998 : arrivée de Karim à Paris.

1999 : stage au journal « Le Parisien ».

2000 : journaliste sportif au journal « Le Parisien » : s'occupe du rugby, du football et du tennis.

2001 : rencontre avec Sabrina.

2002 : installation Rue Lepic.

2003 : naissance d'Aurélie.

Depuis 2004 : journaliste à « L'Équipe ». Spécialiste du football.

Production écrite

5 On t'a volé ton sac. Complète la fiche de police.

POLICE

NATIONALE

COMMISSARIAT DE POLICE

Déclaration de vol

NOM _____ PRÉNOM _____

Nationalité : _____

Né(e) le : _____ à _____

Adresse : _____

Date et heure du vol : _____

Lieu du vol : _____

Objet volé : _____

Description de l'objet :

– Forme : _____

– Couleur : _____

– Signes particuliers : _____

Ce portfolio est ton passeport pour la maîtrise du français.

Tu pourras le présenter :

- si tu changes de lycée ;
- si tu t'inscris dans une école de langues, une université ou une école spécialisée (école de commerce, etc.) ;
- quand tu rechercheras un stage ou un emploi qui nécessite la connaissance d'une langue étrangère.

Ce portfolio comporte :

1. **Le passeport** : il présente les compétences recommandées par le Cadre européen commun de référence pour les langues (CECRL).

2. **Ta biographie langagière** où tu noteras l'histoire de ton apprentissage du français. Tu pourras commencer à remplir cette partie avec l'aide du professeur dès la leçon 1. Tu la compléteras ensuite selon tes expériences (voyages, lectures, films, etc.).

3. **Une partie « Compétences ».** Pour chacune des trois unités, tu trouveras :

- **une liste des savoir-faire** travaillés dans l'unité. Pour chaque savoir-faire tu noteras ton niveau
de compétence :   + si la compétence est acquise ;
  0 si la compétence est en cours d'acquisition ;
  – si tu n'as aucune compétence dans ce savoir-faire.

- **un tableau de tes résultats** aux tests du fichier d'évaluation et aux devoirs faits en classe et à la maison.

Tu commenceras à remplir la partie compétences à la fin de l'unité 1. Puis, à la fin de l'unité 2, tu referas le point sur la liste des compétences de l'unité 1 qui n'étaient pas acquises et tu rempliras la partie « Unité 2 », et ainsi de suite à la fin de chaque unité.

Grille pour l'autoévaluation (niveau A1) – Conseil de l'Europe

Comprendre	▶**Écouter :** Je peux comprendre des mots familiers et des expressions très courantes au sujet de moi-même, de ma famille et de l'environnement concret et immédiat, si les gens parlent lentement et distinctement. ▶**Lire :** Je peux comprendre des noms familiers, des mots ainsi que des phrases très simples, par exemple dans des annonces, des affiches ou des catalogues.
Parler	▶ **Prendre part à une conversation :** Je peux communiquer de façon simple, à condition que l'interlocuteur soit disposé à répéter ou à reformuler ses phrases plus lentement et à m'aider à formuler ce que j'essaie de dire. Je peux poser des questions simples sur des sujets familiers ou sur ce dont j'ai immédiatement besoin, ainsi que répondre à de telles questions. ▶**S'exprimer oralement en continu :** Je peux utiliser des expressions et des phrases simples pour décrire mon lieu d'habitation et les gens que je connais.
Écrire	Je peux écrire une courte carte postale simple, par exemple de vacances. Je peux porter des détails personnels dans un questionnaire, inscrire par exemple mon nom, ma nationalité et mon adresse sur une fiche d'hôtel.

Ma biographie langagière

Mes langues

- **Ma langue maternelle (mes langues maternelles) :** ....

- **Ma première langue étrangère :**

	un peu	bien	très bien
je la comprends	○	○	○
je la parler	○	○	○
je la lis	○	○	○
je l'écris	○	○	○

- **Ma deuxième langue étrangère :**

	un peu	bien	très bien
je la comprends	○	○	○
je la parle	○	○	○
je la lis	○	○	○
je l'écris	○	○	○

- **Je connais aussi quelques mots des langues suivantes :**

....

....

....

....

Mon apprentissage du français

J'ai déjà commencé l'apprentissage du français :

- à l'école primaire, au collège, dans une école de langues

Date et durée	Établissement	Type de cours

- seul(e), dans un pays francophone ou dans mon pays, avec un professeur

Date et durée	Pays	Circonstances

Mes rencontres avec le français

1. Je connais des personnes qui parlent français :

■ des parents ou des amis qui vivent dans un pays francophone : ◯ oui ◯ non

Si oui, quel(s) pays : ....

■ des parents ou des amis francophones qui vivent dans mon pays : ◯ oui ◯ non

2. J'ai dialogué en français sur Internet.

◯ souvent ◯ rarement ◯ jamais

3. J'ai voyagé dans un pays francophone.

Date et durée	pays et région(s)	Type de voyage

5. J'écoute des stations de radio francophones.

....

....

6. Je lis des journaux ou des magazines francophones : ◯ oui ◯ non

Titres : ....

7. J'écoute ou je connais des chansons francophones.

Titre de la chanson ou nom de la chanteuse ou du chanteur :

....

....

8. J'ai vu des films francophones en VO (version originale).

....

....

....

9. J'ai lu des BD (bandes dessinées) ou des livres en français.

....

....

....

10. J'ai aussi lu ou écouté du français dans les circonstances suivantes.

....

....

....

Mes compétences

Bilan Unité 1

Notes obtenues aux évaluations

Fiches d'évaluation

	Leçons				
	1	**2**	**3**	**4**	**Total**
écouter					
lire					
écrire					
situations orales					
langue					
				TOTAL	

Notes obtenues aux devoirs : ....

Fais le point

+ presque toujours (la compétence est acquise)

0 quelquefois (la compétence est en cours d'acquisition)

− jamais

Écouter

	−	0	+
Je comprends le professeur :	−	0	+
– quand il donne une consigne.			
– quand il donne une explication.			
– quand il juge mon travail.			
Je comprends les documents sonores quand je les écoute après les explications du professeur.			
Je peux comprendre un francophone :	−	0	+
– quand il salue et se présente.			
– quand il remercie ou s'excuse.			
– quand il me demande des renseignements sur mon état civil (nom, adresse, etc.).			
– quand il me propose de faire quelque chose.			
– quand il me donne un rendez-vous ou une indication de date et d'heure.			
Quand on me parle, je comprends s'il s'agit d'une question ou si on me demande quelque chose.			

Parler

Je peux :	–	0	+
– saluer quelqu'un et répondre à une salutation.			
– remercier quelqu'un ou m'excuser.			
– dire que je ne comprends pas et demander l'explication d'un mot.			
– demander ou donner le nom d'une personne ou d'une chose.			

Je peux :	–	0	+
– savoir quand je dis « vous » ou « tu » à quelqu'un.			
– me présenter, dire mon nom, mon adresse.			
– dire quelques mots sur mes goûts et mes intérêts.			
– proposer à quelqu'un de faire une activité, accepter ou refuser la proposition de quelqu'un.			
– demander à quelqu'un ce qu'il fait, dire en une phrase courte ce que j'ai fait (où je suis allé(e), ce que j'ai vu, etc.).			
– demander l'heure et la date.			
– dire l'heure et la date.			
– prononcer assez correctement les mots que je connais.			

Lire

Je peux comprendre :	–	0	+
– une fiche simple de renseignements ou une pièce d'identité.			
– certains panneaux indiquant des lieux.			
– des indications de jours et d'heures (par exemple : les jours et heures d'ouverture d'un bureau de poste).			
– un message ou une carte d'invitation.			

Écrire

Je peux :	–	0	+
– remplir une fiche de renseignements sur moi (par exemple : une fiche d'hôtel ou une demande de visa).			
– écrire trois lignes pour me présenter.			
– écrire un message très bref pour donner rendez-vous à quelqu'un.			
– écrire un message très bref pour inviter quelqu'un ou répondre à une invitation.			

Bilan Unité 2

Notes obtenues aux évaluations

Fiches d'évaluation

	Leçons				
	1	**2**	**3**	**4**	**Total**
écouter					
lire					
écrire					
situations orales					
langue					
				TOTAL	

Notes obtenues aux devoirs : ....

Fais le point

+ presque toujours (la compétence est acquise)

0 quelquefois (la compétence est en cours d'acquisition)

– jamais

Écouter

Je comprends :	–	0	+
– les principales informations relatives à un voyage (moyens de transport, date, heure et lieu de départ, retard, annulation, etc.).			
– ce que disent les personnes suivantes, dans des situations habituelles : – le contrôleur du train – l'agent d'embarquement – le réceptionniste de l'hôtel – le serveur du restaurant			
– quand on m'indique : – le prix d'un produit – une quantité – une direction ou un itinéraire simple			
– le serveur d'un restaurant quand il cite des aliments de base.			
– quelqu'un qui cite des actions simples (aller, voir, se lever, etc.) pour raconter : – ce qu'il a fait – son emploi du temps habituel – ses projets			
– les informations principales quand quelqu'un parle de son cadre de vie (sa région, sa ville, son quartier, son logement).			

Parler

Je peux demander des informations essentielles :	–	0	+
– dans une gare ou un aéroport.			
– dans un café ou un restaurant.			
– quand j'achète quelque chose.			
– quand j'ai besoin d'une indication de direction ou d'itinéraire.			
Je peux dire deux ou trois phrases simples pour décrire :	–	0	+
– mon pays ou ma région.			
– ma ville.			
– mon quartier.			
– mon logement.			
Je peux raconter en quelques phrases :			
– mon emploi du temps habituel.			
– un emploi du temps passé (par exemple, à l'occasion d'un voyage).			
– un projet d'emploi du temps.			

Lire

Je peux lire :	–	0	+
– les indications pour les voyageurs dans une gare ou un aéroport ainsi que dans la brochure de la société de transport.			
– une carte postale simple.			
Je peux avoir une idée du contenu :	–	0	+
– d'un menu de restaurant.			
– d'un guide touristique.			
– d'un bulletin météo.			

Écrire

Je peux écrire une carte postale ou un message de voyage ou de vacances qui précise en quelques mots :	–	0	+
– les étapes du voyage.			
– les activités pratiquées.			
– le temps qu'il fait.			
– les rencontres et les incidents.			

Bilan Unité 3

Fiches d'évaluation

	Leçons				
	1	**2**	**3**	**4**	**Total**
écouter					
lire					
écrire					
situations orales					
langue					
				TOTAL	

Notes obtenues aux devoirs : ....

Fais le point ⋮

+ presque toujours (la compétence est acquise)

0 quelquefois (la compétence est en cours d'acquisition)

– jamais

Écouter

Je peux comprendre :	–	0	+
– les relations familiales ou amicales qui existent entre les personnes.			
– les principaux événements de la biographie d'une personne.			
– un souvenir simple lié à cette biographie.			
Je peux reconnaître une personne d'après une brève description.			
Je peux comprendre les circonstances d'un événement : où il se passe, quand, sa durée.			
Je comprends des instructions et des conseils relatifs à des déplacements (« Entrez ! »), à des mouvements (« Asseyez-vous ! »), à ma santé.			
Je peux comprendre des informations et des instructions dans les situations d'urgence.			
Je comprends les expressions les plus familières propres aux conversations téléphoniques.			

Parler

Je peux :	–	0	+
– présenter les membres de ma famille et mes amis en donnant quelques informations sur eux.			
– décrire brièvement une personne.			
– raconter les principaux événements de la vie de quelqu'un.			
– évoquer en deux ou trois phrases courtes un souvenir.			
– dire que j'ai un problème de santé et répondre aux questions d'un médecin.			
– employer les formules de politesse les plus courantes (Je vous remercie, je vous en prie, etc.).			
– préciser les circonstances d'un événement (le lieu, la date, la durée, la cause).			
– dire si une affirmation est vraie ou fausse.			
– faire valoir mes droits dans une situation courante (c'est à moi, je suis arrivé(e) avant vous, etc.).			

Lire

Je peux comprendre des messages :	–	0	+
– d'invitation et de réponse à une invitation.			
– de remerciements.			
– d'excuses.			
– de félicitations.			
Je peux me faire une idée d'un événement raconté dans un article de presse ou dans une lettre.			
Je comprends des consignes sur des panneaux (interdiction, etc.).			

Écrire

Je peux rédiger un message de deux ou trois phrases pour :	–	0	+
– inviter et répondre à une invitation.			
– remercier.			
– féliciter.			
– m'excuser.			
Je peux répondre à un questionnaire écrit sur :	**–**	**0**	**+**
– des détails de ma biographie.			
– les circonstances d'un événement.			
– mes habitudes.			
Je peux me présenter par écrit en donnant des informations sur mon caractère, mes habitudes, mes goûts.			